De Eva a Ester

Copyright © 2020 por Debora Otoni
Edição original por Vida Melhor Editora. Todos os direitos reservados.
Todos os direitos desta publicação são reservados por Vida Melhor Editora LTDA.

PUBLISHER
Samuel Coto

EDITORES
André Lodos e Bruna Gomes

REVISÃO
Eliana Moura e Beatriz Lopes

ILUSTRAÇÕES
Nadia Grapes

CAPA E PROJETO GRÁFICO
Maquinaria Studio

As citações bíblicas são da *Nova Versão Internacional* (NVI), da Bíblica, Inc., a menos
que seja especificada outra versão da Bíblia Sagrada. Os pontos de vista desta obra são
de responsabilidade das autoras, não refletindo necessariamente a posição da Thomas
Nelson Brasil, da HarperCollins Christian Publishing ou de sua equipe editorial.

DADOS INTERNACIONAIS DE CATALOGAÇÃO NA PUBLICAÇÃO (CIP)

O96e   OTONI, Débora
        1.ed. De Eva a Ester: um relato sobre grandes mulheres da bíblia /
Débora Otoni. – 1.ed. – Rio de Janeiro: Thomas Nelson Brasil, 2020.
        224 p.; 13,5 x 20,8 cm.

        Vários autores.
        ISBN: 978-65-56890-23-4

        1. Bíblia – mulheres. 2. Mulheres fortes. 3. Vida cristã.
4. Inspiração. 5. Mulher de fé. I. Título.   CDD 220
8-2020/66   CDU 2-23

BIBLIOTECÁRIA RESPONSÁVEL: Aline Graziele Benitez CRB-1/3129

THOMAS NELSON BRASIL
é uma marca licenciada à Vida Melhor Editora LTDA.
Todos os direitos reservados à Vida Melhor Editora LTDA.

Rua da Quitanda, 86, sala 218 – Centro
Rio de Janeiro, RJ – CEP 20091-005
Tel.: (21) 3175-1030 | www. thomasnelson.com.br

débora otoni + amigas

De Eva a Ester

Um relato sobre grandes mulheres da Bíblia

Thomas Nelson
BRASIL®

Quem já leu...

UM LIVRO SIMPLES, mas de muita preciosidade e poder. Recontar histórias de mulheres do Antigo Testamento que foram muito importantes, tem muito poder e identificação. Mesmo depois de tanto tempo, ainda causam impacto na vida das mulheres do século 21. Cada uma do seu jeito, no seu tempo, mas todas com a mesma força e cheias de Deus. Obrigada Debora & amigas, por trazerem inspiração ressignificando essas histórias de maneira tão linda.

MARIA JÚLIA TRINDADE
Influenciadora Digital/Criadora de Conteúdo e estudante de Fashion Styling.
@majutrindade

"Foi minha mãe quem me ensinou as primeiras cantigas com as quais pude expressar meu amor primitivo à papai do Céu. Minha irmã mais velha quem me defendeu na alfabetização de um grandalhão. Minha irmã do meio quem mais me fez rir. Com mulheres ao longo da vida eu aprendi a amar a Deus, aprendi o que é força e coragem, e aprendi a rir da vida. Sinto muito que a igreja, por vezes, desvalorize a capacidade feminina de nos alcançar a alma de uma forma única. Contudo, Deus não desprezou as mulheres e as usou como exemplo para o seu povo ao longo de toda escritura. Se você tem dúvidas eis o livro que lhe comprovará tal feito. Boa leitura."

MARCO TELLES BELOHUBY
Músico, teólogo pelo Instituto Bíblico Betel Brasileiro e estudante de Filosofia pela Universidade Federal da Paraíba.
@marcotellesbt

"Esta obra apresenta perfis de personagens femininas do Antigo Testamento escritos por autoras contemporâneas. Uma leitura ágil, informativa e inspiradora!"

JAQUELINI DE SOUZA
*Escritora, historiadora (*URCA*), mestre em Ciências da Religião (*MACKENZIE*) e doutoranda em Teologia na* EST *(São Leopoldo/*RS*). Dá aulas de História Econômica na* URCA *(Universidade Regional do Cariri), onde coordena o curso de economia em Iguatu, Ceará.*
@jaquelinidesouza

"Que faltam vozes femininas na teologia e na imaginação cristã no Brasil todo mundo sabe. Que a gente precisa de mais livros editados, escritos, e curados por mulheres todo mundo também sabe. Mas não acho que De Eva a Ester seja um livro "de mulheres para mulheres". Acho que é um livro para todos. Todos precisamos ouvir estas perspectivas femininas a respeito das histórias com as quais muitos de nós crescemos. Precisamos aprender a levar em conta os gritos de frustração, de dor, de decepção com uma fé protagonizada sempre pela ótica masculina, que este livro traz. Precisamos também abraçar a beleza e o lirismo destas perspectivas que enriquecem a maneira como pensamos nestas histórias e na diferença que elas podem fazer na nossa vida hoje. É hora de ouvir; é hora de ler."

LUCINHO BARRETO
*Bacharel em Teologia Ministerial pelo Seminário Teológico Evangélico do Brasil (*STEB*) e mestre em Teologia pela Faculdade Teológica Sul Americana (*FTSA*) em Londrina,* PR.
@prlucinho

"Neste livro a querida Débora Otoni e suas colaboradoras convidadas conseguiram transmitir em textos lindos, muito bem escritos e de linguagem simples os valores, dilemas de vida, luta contra o pecado, conquistas e relacionamento com Deus

– QUEM JÁ LEU… –

de mulheres da bíblia. Sim, mulheres na bíblia são valorizadas pelo que elas são e elas foram lembradas, citadas e até mesmo tiveram suas histórias de vida contadas. Leia esse livro e seja encorajada a viver sua vida de uma maneira plena e louca por Jesus."

MARCELL SILVA STEUERNAGEL
Professor de Música Sacra e Diretor do Mestrado em Música Sacra da Universidade Metodista do Sul (Southern Methodist University) em Dallas, EUA. É doutor em música e igreja pela Universidade de Baylor, mestre em composição musical pela UFPR/ DeArtes e bacharel em composição e regência pela EMBAP-PR. @marcellsteuer

"Este não é mais um livro sobre mulheres da Bíblia, cujas vozes são sempre transmitidas pelos homens. *De Eva à Ester* é um livro diferente, todo feito por mulheres. Esta obra, organizada por Débora Otoni, pretende ser a voz feminina dessas mulheres, que sempre nos chegou pelo som grave dos teólogos. A teologia presente no livro foi suavizada pela doçura da alma de cada uma das escritoras dessa coletânea. Na História, a mulher nunca foi coadjuvante, nem precisa brigar para ser a estrela principal, ela sempre esteve ao lado dos homens, e Deus sempre lhe deu sua devida honra. A questão não é sobre o protagonismo que Deus deu a estas mulheres e nós, mas se você está preparado (a) para vê-las?"

DAVI LAGO
Mestre em Teoria do Direito e graduado em Direito pela PUC-MG. É pesquisador do Instituto Pensando o Brasil e pastor na Igreja Batista Getsêmani, em Belo Horizonte, MG. @davilago

Apresentação

por Silêda

DE EVA A ESTER é um livro fascinante! E provocativo. Mais que uma criativa revisita às histórias de várias mulheres, inspirada em relatos bíblicos, ele é teologia no viés feminino. Não uma teologia da cabeça, mas do coração. Num jeito ousado e descontraído de relembrar a história de Deus com a humanidade, aqui doze autoras contemporâneas aventuram-se a dar voz a 44 mulheres da Bíblia, trazendo-as para a atualidade e deixando-as recontarem, elas mesmas e cada uma delas, a sua história a partir dos seus sentimentos e emoções, como se elas vivessem hoje e pudessem falar, dentro da nossa realidade. Aqui, nesta fascinante ficção poética, essas mulheres não são seres etéreos, meros personagens de histórias romanceadas ou espiritualizadas. Elas têm história, nome e endereço. Algumas delas são bem conhecidas e figuram no panteão dos heróis ou dos vilões da Bíblia. Outras, anônimas ou quase despercebidas, só aparecem nas entrelinhas de relatos da história do povo de Deus.

De EVA *a* ESTER é um livro incitante! A costura sutil entre as narrativas bíblicas e outros textos correlatos na Bíblia é um convite provocador para que o leitor ou leitora se aventure a ir mais além, roteiro e mapa nas mãos, a aprofundar-se numa viagem mais atenta e desbravadora pela história mais ampla de

— APRESENTAÇÃO —

Deus com o seu povo. E nessa viagem eu, leitor ou leitora, vou percebendo e acolhendo os mistérios do agir misterioso e inescrutável de Deus nos momentos mais cruciais da minha própria história e de outras mulheres de hoje. Cada história contada por quem a viveu nas narrativas bíblicas, e aqui expressa nos sentimentos e sensações de cada autora que mergulhou em cada história, me leva ao mesmo mergulho. Eu sou a princesa que ri diante do impossível e aprendeu que "para ser protagonista, não precisa fazer tudo sozinha". Sou a estéril que se alegra com o milagre e sofre com uma gravidez difícil e dolorosa. Sou a escrava que testemunha: "Deus sarou a minha escravidão; ainda dentro da senzala encontrei a minha liberdade." Sou a parteira que, ante o abuso do governante iníquo que tenta usá-la como instrumento de morte, ousa arriscar sua vida para salvar outras vidas e mudar o destino de uma nação. Sou a mãe que sofre com os desmandos dos filhos, sou a lutadora resiliente, sou a anônima do silêncio ativo, a mãe de família que assume papéis masculinos numa nação em guerra... E sou aquela que dança, canta e toca, porque Deus é bom!"

São muitas mulheres, cada uma com sua história. Mas, ao contrário do que pode parecer, *De EVA a ESTER* não é um livro só para mulheres. Aliás, eu quase aposto que os homens que lerem este livro terão uma grata surpresa. Não só serão surpreendidos com um jeito diferente de fazer teologia, mas também irão se deparar com uma janela entreaberta que poderá enriquecê-los, ao desvendar recantos muito ricos e reveladores da alma feminina. É quase como ganhar, inesperadamente, a permissão para "ler o diário dela", o lugar secreto onde são cuidadosamente registrados e guardados pequenos episódios, sonhos e anseios e desabafos abafados. É que uma coisa é "ser relatada" por um historiador; outra coisa é contar a própria história, as vivências, as sensações, realizações e frustrações, fracassos e conquistas, alegrias e dores e os aprendizados que foram crescendo,

– APRESENTAÇÃO –

muitas vezes no silêncio, à medida que Deus nos agracia como participantes, mesmo sem entendermos, da história escrita por Deus através e apesar de nós. E a história da graça dele deve ser contada para abençoar outros.

Boa leitura!

SILÊDA SILVA STEUERNAGEL
Escritora, tradutora, palestrante e um coração que ouve.

Sumário

A que tem vida [19] — Pergaminho de Jafé [26]

Um riso, sorriso [31] — Hagar [36]

A mulher de Ló [39]

A grávida que orou [44] com sinceridade

Cativeiro [47] — A mãe morrendo [53]

Diná [57] — Uma brecha brilhante na escuridão [62]

A egípcia [65]

Sifrá e Puá [70]

A estrategista [73]

A gente devia ser mais honestas umas com as outras [79]

Zípora [85] — Um soneto [92]

Débora [95] — Jael [98]

A brutal, furiosa e [101] excepcional maternidade

Patriota [107]

Rute [114] – Salmo de Noemi [116] – É tanto [118]

De Ana para Penina [121] – De pérola a goteira [127]

Cordel nada encantado [132] – Abigail [135]

Os filhos de Zeruia [139] – A sétima filha [145]

Tamar [149] – Cortem-lhe a cabeça! [158]

As que disputaram um filho [160] – As que repartem os despojos [163]

A mulher virtuosa [171] – Confissões de uma rainha itinerante [175]

Jezabel [180] – Gômer [182]

Um roteiro por Sarepta [185]

Sunamita [191] – A escrava [199]

As parentes [204] – A profetisa [207]

As que choram [212]

O canto de Ester [214]

A que tem vida

por Ana Elisa Staut

SINTO A VERGONHA queimar meu rosto. Fogo puro, ardendo meus olhos, minha garganta, a pele dos braços. Vergonha e medo. Vergonha e culpa.

Como pude? Como tudo, em uma simples mordida, pode ter se transformado? Um simples fruto?

Não. Não havia sido somente uma mordida. Eu deveria saber.

Minhas mãos ainda tremiam, minha visão coberta por algo turvo, vermelho, o gosto de ferro em minha boca, me fazendo engolir em seco. E gritei, em silêncio. Gritei de desespero, as lágrimas se acumulando na tristeza muda. Eu nunca havia sentido algo assim, sentido essas emoções e sua força. Nomeei cada uma. Raiva. A raiva por ter cedido, por ter aceitado ser enganada. Dor. O meu âmago doía, uma indisposição causada pelo veneno do mal. Vergonha, ao ser exposta a nudez corrompida de mim mesma.

Por um momento, desejei voltar atrás, desejei com todo o meu coração. Quis me livrar de todo sentimento impuro, de controle do meu próprio destino, de possuir poder, de ser tão sábia quanto... Quanto Ele.

Tola. Criatura tola. Em busca de conhecimento, se entregou à perdição. Em busca de mais, enquanto já tinha tudo.

A luz da manhã parecia pintar o cume das montanhas de verde, em contraste com o céu escurecido pelas nuvens carregadas. Já estávamos longe do Jardim. Longe do que antes havia sido um lar, tudo que eu conhecia. E que Adão conhecia.

Encarei as costas do homem que guiava nosso caminho. Desde que tinha sido confrontado pelo Mestre, desde que tinha apontado o dedo para mim, nenhuma palavra tinha sido proferida entre nós.

> *Foi ela! A mulher que me deste por companheira foi quem me deu o fruto da árvore, e eu comi. Eu também fui enganado!*

Meu coração se partiu. Pelas palavras que eram verdadeiras, mas uma meia-verdade. Pela malícia em sua boca, uma lâmina mais afiada que o aço embainhado em seu cinto. Mais gélido que a noite mais fria.

"A mulher que me deste".

Não como um presente. Não como alegria. Mas como perdição.

Como fel em minha língua e brasas, queimando e queimando.

Tão ágil em me acusar, tão rápido em colocar a culpa e se salvar. Tão ansioso em escapar do desapontamento e da ira. Chorei e chorei, lamentando a bela dupla que formávamos.

Dois seres frágeis e cheios de dor.

Ainda assim, não pude julgá-lo, não mais do que me culpava pelos atos.

Maldita seja a serpente, cuja língua suave havia me convencido a trair o Criador. Maldito seja o coração corruptível do homem e da mulher. Maldito seja meu coração e todos os seus fragmentos desobedientes.

Um trovão ressoou. Chuva, talvez uma tempestade. A trilha vibrante de um raio cortou o céu. Me encolhi, sentindo um calafrio percorrer meu corpo. Eu nunca tinha visto algo assim, violento e brutal. Adão também percebeu, seus passos acelerando rumo a um abrigo, a qualquer lugar que pudesse nos esconder rapidamente do furor vindo de cima.
Não demoramos para avistar um sinal.

Há alguns metros, ao pé das grandes formas rochosas estava uma pequena caverna, iluminada por uma simples fogueira, crepitante.

Mesmo sendo contrariado, mesmo sendo traído,
o Senhor cuida de nós.

A primeira gota atingiu o solo assim que adentramos a caverna. Pouco depois, tudo foi coberto por uma densa cortina de água. Estávamos presos ali, por enquanto.
Me aproximei do fogo, encarando a luz brilhante. As nuances alaranjadas e amarelas pareciam dançar. E estavam.

Estrangeiros. Era o que havíamos nos tornado.

Do outro lado do abrigo, distante, Adão se sentou. Seus olhos se fixaram na lâmina em suas mãos, os dedos tocando o material prateado. Mesmo sob as sombras da caverna e a falta de iluminação onde ele se encontrava, sua beleza era notável. Lindo, sim. Tão belo quanto o nascer do sol, a primeira flor desabrochando na primavera, a sensação de se refrescar no riacho em um dia quente.

Seus braços tinham sido meu conforto e agora, Adão não olhava em meus olhos.

— *Não está com frio?* — perguntei.

Ele me ignorou.

O que observei me arrancou o fôlego. Uma garra invisível e forte pareceu se instalar em meu pescoço, sufocando e sufocando.

Aquela era a imagem de um homem derrotado. Os ombros caídos, a cabeça baixa, o olhar de completo desespero. Pude ver escuridão, agonia e fúria. Adão sempre tinha sido um homem sério, focado em seu trabalho cuidando do Jardim, dos animais e da terra frutífera. Não havia um ser do qual ele não soubesse cada detalhe, cada nome e textura. Também havia prazer em sua responsabilidade. *"Guardião do Éden"*, ele se chamava, sorrindo como se fosse completo. Agora só havia estilhaços.

— *Posso pegar água, se quiser.*

— *Pare!* — *ele gritou. A voz rouca e violenta.* — *Pare de agir como se estivesse tudo bem!*
Engoli em seco, encolhendo-me.

— *Por favor, fale comigo. Estou preocupada. Sei que...*

— *Agora está preocupada? Não estava quando negociou com aquele demônio, quando lhe deu ouvidos e nos arruinou.*
Senti as lágrimas escorrendo por minhas bochechas. O formigar da raiva e da humilhação em minha face.

— *Nunca foi contente* — *ele continuou.* — *Sempre curiosa, sempre querendo saber mais e descobrir como tudo funciona. Não bastava receber? Não bastava ter tudo? Você nos condenou, mulher!*

Me levantei, as mãos tremendo em meio à respiração irregular.

— *Traçamos nossa condenação juntos. Ambos erramos! Não espere que eu assuma a culpa sozinha por pena. Você tem voz, Adão. Tem consciência e não foi compelido. Não espere que eu tome suas dores para aliviar o peso do seu silêncio!*

Silêncio se instaurou.
E Adão chorou.

O homem que andava entre leões e lobos, que nadava contra a correnteza e escalava as árvores mais altas, aquele que havia sido escolhido, chorou.

Eu me aproximei, tomando seu rosto em minhas mãos, forçando-o a me encarar.

Havia medo em seus olhos. Encontrei o espelho da minha dor, das minhas dúvidas. Encontrei a raiva e a tristeza que tinham me acometido como uma doença, correndo em minhas veias como veneno puro, intoxicante. Encontrei anseio por amor.

Percebi que a imagem que eu havia criado em minha cabeça, sobre quem Adão era, sobre quem eu era, estava errada. Toda a nossa caminhada, nossos dias e noites conhecendo a Criação e servindo, haviam sido para esse momento. Para chorar, para cuidar e principalmente, para perdoar. Mesmo perdendo o Jardim, desapontando o Mestre e sendo expulsos, ainda tínhamos um ao outro. Ainda havia misericórdia.

— *Ele nos fez um.* — Toquei os fios de cabelo que caíam em seus olhos. — *Na escuridão e na luz. Na sua escuridão e na minha. Em Sua luz eterna.*

Um vislumbre passou pelo seu rosto. Arrependimento. Desonra. Os olhos escuros eram abismos sombrios procurando por uma centelha de esperança e perdão. E dei a ele.

Não estava mais chovendo. Podíamos partir. De agora em diante, éramos exilados. Teríamos que sofrer com a escuridão em nosso coração, sofrer com o tempo. Ah, a morte. Não mais comeríamos da Árvore da Vida. Adão morreria. Eu morreria.

O desespero me saudou, rondando a porta entreaberta da minha alma, e não deixei que tomasse conta de mim. O sol fraco nos alcançou. Encarei o horizonte. Eu voltaria ao paraíso.

EVA, *a primeira mulher, aparece logo nos primeiros capítulos do Gênesis. Seu nome tem, entre outros significados, "a que vive", "a vivente" ou "cheia de vida". É mencionada 4 vezes nas Escrituras. Seu nome está relacionado etimologicamente ao verbo "viver". A concepção, o gerar a vida e a fertilidade são valores embutidos nesses significados.*

Pergaminho de Jafé

por **Elisa Cerqueira**

UM. Desordem no cosmos
Perversidade
Divindade
Humanidade
Tríade em alta tensão
Os bárbaros, o Santo, o homem
Performance humana
Pura maldade
Enfado celestial
Ordens expressas
Um justo

QUATRO. Mudez
A história fala, o homem não
Nem uma pergunta ao Eterno
Nem uma dúvida
Nem um suplício pelo povo
Nem uma expressão
Nem uma lágrima
Nem sequer uma palavra
Obediência e silêncio

CINCO. *Selah*
O Futuro no futuro
se fazendo presente
O presente no presente
que foi futuro no passado
O caminho, a paciência
O barco, a espera
Tudo se faz no que foi feito
O verbo se projeta
O passado no futuro
A fé na Palavra

SEIS. Caos
Firmamento se irrompe
Solo lavado com sangue imoral
Cova que amacia a queda
Água mole, sentença dura
Odor da morte lá fora
Odor da vida lá dentro
Sobre a justiça
Sobre a graça
Sobre a credulidade

SETE. *Shabbat*
Fim
Recriação se completa
De ômega a alfa
Descanso
Seres Humanos
Animais
Brilho do sol, brisa da chuva
Vegetação
Orvalho
Luz de cores
Segundo Princípio
Reordem da desordem
O verbo
Começo

DOIS. *Isha*[1]
Chamamento do divino
Inconveniência cultural
"Cobre a cabeça, tira a sandália."

---

[1] *Isha,* do hebraico "mulher".

– PERGAMINHO DE JAFÉ –

Revelação do Eterno
"Isha, *assim diz o Senhor:*
Darei fim a todos os seres humanos, porque a terra encheu-se
de violência por causa deles. Eu os destruirei com a terra.
Vocês, porém, façam uma arca de madeira de cipreste.
Eis que vou trazer águas sobre a terra, o Dilúvio, para destruir
debaixo do céu toda criatura que tem fôlego de vida. Tudo
o que há na terra perecerá. Mas com vocês estabelecerei a
minha aliança, e vocês entrarão na arca com seus filhos, e as
mulheres dos seus filhos."

O Eterno se revela à sua serva
Gritos de profunda lamentação
Roupa rasgada, e cinza
Indagações e pedidos por socorro

E reverência, e luto, e medo
Dilema, coragem, e enfim voz.
"Meu Senhor, sou apenas uma mulher..."
"Não diga 'sou apenas uma mulher', eis as
instruções de como tudo deve ser feito..."

E reverência, e luto, e medo
Dilema, coragem e, enfim, voz.
"*Noé, a palavra do Eterno veio a mim. Assim*
diz YHWH, o Senhor: 'Darei fim a todos os
seres humanos, porque a terra encheu-se de
violência por causa deles...'"

TRÊS. Família
Um carpinteiro
Três fazendeiros
Uma arquiteta

28

A esposa de Noé, segundo as tradições não bíblicas é chamada de NAAMÁ *– cheia de beleza. Provavelmente, é descendente de Caim. Aparece nos registros bíblicos em a partir de Gênesis 6. Esteve presente com Noé em todos os momentos que antecederam o dilúvio, e após esse momento também.*

"Deus me abençoou com riso, e todos que souberem disso vão rir comigo!" – (Gênesis 21:6, A Mensagem)

MEU MARIDO ABRÃO vive ouvindo uma voz, que lhe aponta a caminhada.
Nossa vida era tão boa e agitada ali. Na cidade, com quem eu conhecia.
Mas ele disse que era hora de seguir esse comando, que lhe prometia algo especial.
Viramos nômades. E essa jornada durou muito tempo.

Tempo para a gente se desapegar das antigas formas de viver.
Terá teve que partir para a gente amadurecer e tomar as rédeas do caminho.
Tempo para a gente entender o que era realmente importante.
Minha afeição me deu muita coisa nessa vida, mas também me causou muitos problemas.
Eu sabia o que a minha beleza podia conseguir. De faraós a reis, não tive medo de usá-la, até que aquela mesma voz que falava a Abrão começou a falar com os outros também.

Eu era a princesa de alguém.
Não a princesa de algo, de sua história, mas sempre de alguém.
E isso me cansava.
Me cansava porque eu tinha que achar soluções para problemas incuráveis.
Para começar, havia a minha esterilidade.
A voz dizia que abençoaríamos todos e todas, mas como isso seria possível?

Sou tão bela, mas tão infértil.
Até que YHWV disse
Que era mesmo de mim que o herdeiro ia nascer.

Eu não entendi que essa era uma promessa unilateral, vinha tudo Dele.

Eu resolvi resolver.

Demora demais, Deus!

A esperança adoece o coração.

E eu adoeci. Só contar estrelas e olhar a areia dói demais.

Tem um jeito mais fácil disponível. Por que não?

Minha pressa, minha amargura.

Minha maior mazela, minha infidelidade.

Minha inconstância é a coisa mais constante sobre mim.

O que esses descendentes, que Ele prometeu, contarão sobre Sarai?

Agora eu ouvi a voz também.

Eu O ouvi falar de novo.

E agora eu ri.

Eu ri muito.

Eu ri porque esse sonho não era meu. Só meu.

Eu entendi.

E por isso eu pude rir.

Ele queria mostrar força na fraqueza.

Eu ri.

Eu sobrevivi ao deserto, às longas caminhadas.

Eu entendi que a promessa não tinha condições.

Eu ri, porque eu não tinha nem como fazer por onde.

Eu ri, porque a ideia era boa demais, e só podia ser de YHWV!

Aliviada, dei risada

Todos os povos da terra!", Ele dizia.

Isso inclui os povos que vieram de Ismael também.

Eu tive que aprender a conviver com minhas imperfeições e com minhas escolhas.

Porque o tempo é Dele. A história é Dele.

E agora, tão tarde, eu aprendi que para ser protagonista, eu não preciso resolver tudo.

Eu só preciso sorrir.

Porque é contando o motivo da minha risada que eu vejo os nossos sonhos e promessas serem realizados.

Agora sou Sara, princesa.

Protagonista porque ri. Porque descansei e ri.

Não sou só a participante da história de alguém. Eu faço parte de uma história muito maior e sou atuante também.

Sara.

Porque entendi que não há jeito melhor do que o jeito do *El Shadai*,

Do que é Todo-Poderoso para fazer vida brotar de terras secas e gastas

Você pode rir também, porque nenhum erro, petulância, inconsistência, tempestuosidade ou passividade foram capazes de desfazer as palavras ditas por Ele a meu respeito.

Nem poderão desbancar o que Ele diz sobre você.

Abraão, pai de muitas nações.

Acho que ele vai precisar de uma mãe para isso não é?

(risos)

Eu ri.

Eu segurei Isaque nos braços.

Eu vi, eu peguei a esperança no colo.

Eu ri

Porque era bom demais para ser possível.

Era bom de mais para ser verdade.

Eu ri porque Ele é bom demais e diz verdades.

Na velhice dei meus frutos.
Me revigorei na graça
E todos puderam ver que Ele é
bom. Ele é a minha rocha e a minha
justiça.

Você pode sorrir também.

Seu nome original era SARAI e, após uma aliança com Deus, começou a ser chamada de SARA. Sua história está registrada no Gênesis a partir do capítulo 11. Em hebraico, seu nome quer dizer "princesa", "mandatária" e dá conotação de uma mulher da alta hierarquia. Seu nome vem do verbo hebraico "Sarah", de onde vem o verbo "sarar". Relacionado ao ato de governar.

Hagar

por **Fabiane Behling Luckow**

"Eu não aguento mais!"
Ela desabou e começou a chorar.
"Eu não aguento mais!"

ALI PERTO, SEU filho de treze anos esperava a morte. Chorava baixinho.

Não havia mais comida. Não havia mais água. Não havia mais esperança. O deserto se estendia até onde os olhos podiam enxergar. Um vento quente cortava a pele de seus lábios secos e secava lágrimas que já não mais escorriam.

"Não consigo ver o menino morrer."
Virou a cabeça. Deserto. Desolação. Sua vida nunca havia sido fácil, mas terminar assim?
"Como cheguei até aqui?"

Sua vida nunca havia sido fácil.
Se tornou "serva" tão pequena, que não lembrava de outra vida. "Serva" é jeito bonito de falar "escrava". Não teve pais, só senhores. E filho. Deitado ali, esperando. Olha e desolha. Vira a cabeça para o outro lado.

Sua vida nunca havia sido fácil.
Um dia, a senhora cansou de esperar. Cansou dos cochichos dos servos, cansou da secura do ventre e da tenda vazia.
"Deita com o senhor e me dá o filho", a senhora disse. Não era pergunta, era ordem.

Sua vida nunca havia sido fácil.
Talvez por isso, ela tenha exagerado na confiança quando ficou grávida. *"Agora eu sou alguém"*, pensou. Ingênua. Estúpida.

Sua vida nunca havia sido fácil.
Fugiu para o deserto, com o bebê ainda na barriga. Era pra ter morrido daquela vez! Se não fosse o anjo... Bem que avisou que o menino daria trabalho. Porque tinha de se meter com o filho da senhora? Porque esse menino não ficou quieto? O anjo tinha razão. Jumentinho selvagem! Mas olhando agora para ele, deitadinho, o amor e o desespero crescendo no peito e querendo sair pela boca, lembrou de Deus. Ele a achou, no mesmo lugar e do mesmo jeito. Ela e o filho, no deserto.

Não importa mais. Faz tanto tempo...

Sua vida nunca havia sido fácil.
Riu com rancor.
"Voltei pra ser mandada embora de novo".

"Será que ele ainda enxerga? Será que ele ainda ouve?"

"O que houve?"
Ela até se assustou, como se nunca tivesse visto. O anjo!
"Deus ouviu o menino chorar", ele disse.
"Vai, cuida dele! Vai dar tudo certo!"

"Bebe, meu filho! É água!"

> A história de HAGAR (hebraico) ou Agar (grego/latim), começa no capítulo 16 de Gênesis. São atribuídos ao seu nome os significados de "fuga", "mudança", "voo", "emigração". Ela deu à luz a Ismael, patriarca dos ismaelitas (árabes).

A mulher de Ló

por **Elisa Cerqueira**

TRÊS VIAJANTES ANDANDO nas montanhas da região de Zoar encontraram-se com uma mesma missão: estavam em busca dela. *"A mulher de sal"*, disse um deles. *"A mulher de pedra"*, disse o segundo viajante. O terceiro ficou em silêncio, e quieto continuou caminhado durante todo o trajeto.

Os homens resolveram acampar pela noite antes de continuar a jornada. Ikarus e Tommazo discutiam sobre diferentes assuntos, mas não chegavam a algum acordo. Os três fizeram uma fogueira e sentados em círculo admiravam o fogo e o céu noturno.

"Vou contar a vocês a história verdadeira da mulher de Ló, conhecida como a mulher de sal", disse Tommazo.

"A mulher de sal vem de uma história antiga. Da destruição das cidades de Sodoma e Gomorra. Eram cidades prósperas e orgulhosas. Seus habitantes se viam como acima de qualquer lei, de qualquer pessoa, de qualquer lugar. Não havia deuses que os pudessem contrariar; eles eram autossuficientes e insurgentes.

Eles eram tão arrogantes e maldosos, que maltratavam forasteiros e qualquer estrangeiro que buscasse abrigo em suas viagens. Outras lendas da cidade dizem que eles eram imorais e que a sua iniquidade machucava o coração da terra. Mas ninguém sabe com certeza.

Um dia, dois visitantes foram falar com Ló, um hebreu que morava em Sodomae e era sobrinho de Abraão, pai dos hebreus. Os visitantes contaram que o deus dos hebreus disse para ele sair daquela cidade junto com sua família, porque a destruiria por sua maldade.

Enquanto ainda estavam todos na casa os moradores da cidade vieram à porta de Ló; queriam maltratar os visitantes, como era de praxe. A hospitalidade hebraica é tão importante e forte na cultura dos filhos de Abraão, que Ló preferia que suas próprias filhas fossem maltratadas em vez dos estrangeiros.

Na verdade, não entendo como Ló conseguia viver em paz naquele lugar, com essa injustiça acontecendo às pessoas que buscavam ajuda e refúgio ali. Mas, enfim, vamos voltar para a história.

Enquanto conversavam sobre como escapariam dali, a esposa de Ló disse que essa história de destruição não aconteceria, e que eles não precisariam fugir para lugar algum. A esposa de Ló se apaixonou pela cultura e vida da cidade; ela mesma, influenciada pelos costumes de lá, se achou tão acima de qualquer autoridade que, quando estavam escapando, olhou para trás, pois duvidou de que uma destruição pudesse acontecer da parte de Deus. Os mensageiros de Deus disseram que eles deveriam abandonar o tipo de vida daqueles moradores, sua cultura de orgulho, e viver de uma forma simples e hospitaleira.

Enquanto a família escapava da cidade, chegaram ao alto na montanha, e ali a mulher de Ló recusou-se a continuar. Não queria abandonar tudo o que tanto amava, e trocaria até sua vida com seu marido e filhas pela vida que tinha em Sodoma. Ela correu de volta, em direção à cidade. Mas Ló e suas filhas não ousaram parar, e continuaram em frente, refugiando-se numa caverna enquanto fogo de ira caía do céu.

No dia seguinte, Ló caminhou de volta para procurar sua esposa e, no caminho, se deparou com uma estátua de sal. Era ela, em cima da montanha, amaldiçoada a olhar para sempre a destruição da terrível cidade que tanto amava.

"Divindade? Essa história não tem nada a ver com Deus. E nada a ver com uma cidade que fazia coisas ruins. Foi um evento da natureza", disse Ikarus com voz imponente. *"A verdadeira*

história é de uma mulher chamada Edith, casada com Ló. Ela foi uma observadora do céu. Tão fascinada pelo evento de uma chuva de meteoros que atingia a terra, que queria testemunhar esse momento histórico universal de uma proporção nunca vista antes. Ela ficou tão deslumbrada com a chuva de meteoros, que chegou a achar beleza em toda aquela destruição.

Como consequência da sua curiosidade grotesca, e do fato de não querer seguir em frente com a própria família, pagou alto preço por seu fascínio: foi carbonizada com a fumaça do fogo que consumia Sodoma e as outras três cidades que foram destruídas, Gomorra, Admá e Zeboim. A mulher de pedra é Edith, a esposa de Ló, carbonizada na montanha. As pessoas que encontravam a estátua de pedra diziam que era uma estátua de sal, pois perto dali, no mar Morto, existiam pilares de sal, e alguns alcançavam 2 metros de altura. Ninguém sabia explicar o fato de haver uma pessoa carbonizada ali, então falavam que ela virou um pilar de sal, como aqueles do mar Morto, tão familiares para os habitantes da região."

O outro homem ouviu as histórias e ficou calado. Eles finalmente foram dormir; no dia seguinte, avistaram uma procissão peregrinando em direção à estátua. Juntaram-se ao grande grupo.

Quando chegaram ao local, havia centenas de pessoas peregrinando por ali. Lá embaixo estavam as ruínas de Sodoma, e, diante deles, a estátua: uma mulher de joelhos, cabeça baixa, uma mão em direção ao peito, a outra em direção ao céu. Todos foram envolvidos por um sentimento de profunda contrição. Embaixo da estátua os dizeres: "Lágrima dos deuses".

Ikarus, que não acreditava em divindade, chorava sem entender o motivo de suas lágrimas. Sentia seu coração pegando fogo, e uma tristeza que nunca antes experimentou. Tommazo sentou-se perto de seus colegas viajantes; em pranto e confuso olhava para o céu. Todas as pessoas que ali estavam não podiam conter o choro também.

O terceiro homem finalmente quebrou seu silêncio: *"Essa é a história de quando a maldade dos homens entristece os deuses. Tanto foi a tristeza dos três deuses que criaram a humanidade numa criação de profundo amor, que choraram diante do que alguns humanos se tornaram. Uma família foi poupada, porque os três deuses viram que seus corações eram puros. Quando chegaram ao topo dessa montanha a mulher de Ló entendeu o coração dos deuses, e tamanha era a tristeza que ela mal conseguia caminhar. Naquele momento ela entendeu o que era amor. Tal amor ardia no coração dos deuses, e tanta compaixão, e escorria o fogo sobre a terra. Lágrimas salgadas como o mar Morto, pela morte dos humanos. Em seu luto ela olhou para a cidade, ajoelhou e chorou com os deuses.*

Quando os deuses viram que um humano se compadeceu da destruição da vida, eles fizeram dela um pilar, para que todos os viajantes que passassem por ali soubessem que os deuses jamais se alegram com a destruição de justos ou injustos, mas amam sua criação do começo ao fim. Os deuses estavam em luto, e suas lágrimas de compaixão, bondade e tristeza se faziam na terra fogo consumidor de tudo o que era mal e perverso."

Tommazo olhou para Ikarus e, surpreso, falou com voz trêmula: *"Para o meu povo, ela olhou pra trás porque não queria ir embora."* Ikarus, admirado com a certeza de que acabara de ouvir a verdadeira história, sussurrou: *"Essa é a história da mulher de Ló, ela olhou para trás porque queria ver todos indo embora."* O terceiro homem olhou para os dois, balançou a cabeça e completou a sua narrativa: *"Essa história nunca foi sobre a mulher de Ló. Essa história é sobre a lágrima dos deuses."*

Em algumas tradições judaicas ela é chamada de EDITH ou ADO. É mencionada pela primeira vez no capítulo 19 do livro de Gênesis. Ela também aparece no livro apócrifo de Sabedoria (10:7), e em Lucas, capítulo 17.

A grávida que orou com sinceridade

por Raquel Otoni de Araujo Costa

SENHOR, EU SEI que o Senhor é capaz de todas as coisas. Essa gravidez é prova disso. Meu encontro com meu marido é prova disso. O Senhor orquestrou nossa vida a cada momento. Nenhum detalhe escapou do Seu plano.

Mas agora, Senhor, não quero parecer ingrata, mas essa gravidez está me incomodando muito. Eu sei que o Senhor operou um milagre para que eu pudesse gestar. Assim como foi com nossa mãe Sara, o Senhor fez em mim. Assim como meu marido Isaque foi fruto de orações pelo fim da esterilidade, minha gestação também é.

Mas estou a ponto de morrer. Estou sem ar, sem posição, sem ânimo. Aquilo que eu esperei por tanto tempo agora parece ser meu fim.

Como pode algo que gera vida estar a ponto de produzir a minha morte?

Às vezes, no meio da minha dor, não entendo porque a infertilidade é maldição. Tem uma guerra no meu ventre. Como isso pode ser bênção? Por que isso está acontecendo comigo? Se é assim, por que vivo eu?

Oro crendo que o Senhor responderá minhas dúvidas e aliviará minha dor.

Os filhos lutavam no ventre dela; então, disse: Se é assim, por que vivo eu? E consultou ao Senhor. (Gênesis 25.22)

> REBECA *é sobrinha do patriarca Abraão, que é pai de seu marido Isaque. Sua história está registrada em Gênesis, a partir do capítulo 23. Seu nome quer dizer "aquela que prende com sua beleza". Foi mãe de Jacó e Esaú.*

Cativeiro

por **Elisa Cerqueira**

Coroa de flores
Coroa de espinhos
E o véu que me esconde
Prisioneira dessa armação
Celebração para todos,
Exceto para três: Raquel, que agora me odeia
Eu, que agora estou morta
E meu amor, que me olha de longe e chora

Quem somos nós, seres desse pó? Totalmente no limiar da dependência temporal. Minha confissão é que preparo relevância para meus passos mais insignificantes. Só para não ficar mais desesperada. As flores na minha cabeça têm o cheiro do meu túmulo. O véu ainda me faz ser eu, ao menos por algumas horas. E tento escapar a mente para os olhos do meu amor. Escapei do acaso, mas das armadilhas de Labão me fiz prisioneira. E penso só no sorriso do meu amor. Obra do idealizar, porque o acaso é para quem ainda não está decidido. E a injustiça vem para o que é decidido por outro alguém.

Meu amor
Ele sonha os sonhos que são os meus
Aquele que nunca mais terei
Meu amor
Que abandonou seu povo pelo meu
Eu me escondo ele me acha
Lá fora, entre os rebanhos de meu pai

Ele tem nome e amor pra mim
Meu amor
Morre em aflição
Morro em desespero
E morre também Raquel
Tantas almas destruídas em um pôr do sol

A escravidão do amor gera alguns calos nos pés. Não que seja insuportável ter calos, insuportável é ter que continuar andando sobre esses pés. Insuportável é ser odiada por quem amo. E odiar quem tenho que amar. O limbo é tolerável se você não pensa muito a respeito, assim como mastigar uvas com caroços. A gente só engole. E com o tempo o caroço é de abacate. Até respirar fica difícil.

Impostora
Minha nova identidade
Sou um contrato
Andando em silêncio para meu cárcere
Jacó, o enganador enganado
Andando para seu cárcere

Eu brigo com você, mas só aqui de dentro. E eu grito, mas só em silêncio. Eu sei que pode estar frio, mas não queime minha música só porque ela é feita de madeira. Quero cantar para o meu amor. Mas meu amor já não mora aqui, e levou consigo minha voz. Hoje troquei todos os meus sonhos por interrogações. E sou essa mulher que um dia desprezei ser. Minha água fresca era Raquel, minha irmã, minha amiga. Somos estranhas agora. Onde está o Senhor? Deus do Abraão? O senhor tem olhos e ouvidos? O senhor tem coração? Eu não tenho mais amor nem coração. Existo nesse corpo que caminha e caminha. Anda sozinho para o cativeiro. E esses pensamentos que não sei onde pôr. Na sola da sandália, na lágrima escondida, nas

*noites acordadas. Vou morrendo de pouquinho em muito. Nessa
jornada de desprezo.*

O começo do fim
Meu amor foragido, quebrado
Em terras desérticas
Meu luto eterno
Brigas com Raquel
Concorrente de um coração que nunca foi meu
Um coração que eu nunca quis
O fim do fim
Compulsão por ser amada
Ter um filho atrás do outro
Fazer brotar algum riso de tanta tristeza
E nasceram meus sorrisos
Só mais um, só mais um
A fertilidade me deu honra entre as mulheres
Parece que Deus não me odeia tanto assim

*Saem essas palavras de mim. Amargas, frívolas. Até parece
que odeio Raquel, mas a amo. Parece que nos escolheram para
ser inimigas. Mas não quero esse destino. Como fugir dessa
fatalidade? Achei graça somente em Deus. Jacó não me olha,
Raquel me despreza, meu pai nem se importa, me escravizou,
me escravizaria de novo. Mas Deus me deu a melhor alegria que
uma mulher poderia ter. Eu estava morta, mas com vida, veio
vida. Minha existência teve fôlego. Perdendo o fôlego e querendo
mesmo morrer para essa dimensão. Então veio Rúben, minha
força. Não sabia que seria possível me alegrar novamente, mas
alegria se fez carne e osso. E tendo um pouco de amor só quis
mais. E de novo e de novo Deus sorria para mim, me abraçava
mais forte. Para toda vez que minhas entranhas se perdiam em
escuridão, vinha luz. Simeão, Levi, Judá, Zebulom, Issacar, Dã,
Gade, Aser, Naftali. E Deus me deu Diná. Deus sarou minha
escravidão. Ainda dentro da senzala encontrei minha liberdade.*

Os anos se vão e vêm as noites frias
Tragédias continuam
Foram tantas
Penso onde estaria se não fosse por meu pai
Se não fosse escrava dessa vida
Vida que nunca foi minha
Vida que nunca quis
E penso em Diná
Olho nos olhos descontentes de Diná
Minha filha que agora é escrava também
Mas até na escravidão existe esperança
E na esperança existe liberdade

Rasgo minhas vestes e choro contigo. Diná, minha filha. Diná, amor meu. Hoje é seu dia de descasamento. Sinto sua dor, Diná. Você filha minha. Minha Diná, você tirou meu pranto e minha solidão. Me deu sorriso em uma vida conturbada. Estou velha agora, e tenho paz. Para todas as vítimas existe um lugar de compensação. Existe justiça no coração do Deus ao qual adoramos. Sofres agora, minha Diná, mas não para sempre. E não estás só, pois estou contigo. Hoje peço de Deus vida a você, Diná. A luz virá nessa sua escuridão. Se não de carne e osso, de alma e propósito. Não estamos sós porque existe um mistério de alegria para a alma que sofre. Meu pai me fez escrava, meu Deus me fez livre. Esse mistério há de ser desvendado, se não aqui e agora, amanhã e depois.

LIA, a filha mais velha de Labão, sobrinha de Rebeca e irmã de Raquel. A primeira esposa de Jacó tem sua história narrada no livro de Gênesis. Seu nome quer dizer "olhar terno", e também pode significar "cansada, fatigada".

A mãe morrendo

por **Raquet Otoni de Araujo Costa**

"Partiram de Betel, e, havendo ainda pequena distância para chegar a Efrata, deu à luz Raquel um filho, cujo nascimento lhe foi a ela penoso. Em meio às dores do parto, disse-lhe a parteira: Não temas, pois ainda terás este filho. Ao sair-lhe a alma (porque morreu), deu-lhe o nome de Benoni; mas seu pai lhe chamou Benjamim. Assim, morreu Raquel e foi sepultada no caminho de Efrata, que é Belém."
— (Gênesis 35.16-19)

BENONI. ESTE SERÁ seu nome. Filho da minha dor. Resultado do meu sofrimento. Quando olharem para você, verão minha história de aflição. A cada contração, tenho a mesma certeza: você carregará as marcas da minha mágoa.

Me perdoe, meu filho. Você não é culpado por isso. Mas eu não tenho em mim mais força alguma. Depois de tudo que vivi, desde que me encontrei com seu pai, não tenho outro nome para te dar.

Fui enganada pelo meu pai, fui colocada para trás pela minha irmã. Tive vergonha da minha infertilidade. Dividi a atenção de Jacó com outras mulheres. Vi meu pai enganar meu marido. Fui considerada como estrangeira pelo meu pai. Furtei meu pai. Peregrinei com Jacó, suas mulheres, seus filhos e José por terras que eu não conhecia. Vi lutas. Vi mortes. Vi dor.

Benoni.
Minha parteira segue dizendo *"Não temas"*.
O que mais eu temeria a essa altura?

Minhas dores de parto começaram quando saímos de Betel rumo a Efrata. Quem sabe em Efrata[1] alguma mulher tenha a bênção de viver uma história que dê sentido à nossa, Benoni. Quem sabe, em Efrata, alguma mulher faça nascer um bebê que acabará com o sofrimento. Quem sabe em Efrata se veja a redenção da nossa dor.

Segundo Jacó, Deus mudou o nome dele. Não é mais Jacó, mas Israel. Não mais o homem que lutou consigo e com outros homens. Ele será conhecido como o homem que lutou com Deus. A história de seu pai agora é outra.

---

1   *Miqueias 5.2.*

– RAQUEL –

Clamo ao Deus de seu pai que você, meu filho, não precise carregar para sempre meu sofrimento. Clamo ao Senhor para que seu nome, Benoni, também seja mudado.

O nome RAQUEL significa "ovelha" e também pode ser interpretado como "dócil", "pacífica" e "cordial". Foi a segunda esposa de Jacó, a mãe de José e Benjamim. Sua história começa a ser contada em Gênesis 29.

Diná
por **Débora Otoni**

SOU A CAÇULA de dona Lia. Cresci cercada por seis irmãos presentes e fortes. Somos/fomos peregrinos, quase nômades, por muito tempo. Atravessamos muitas terras e riachos com nosso pai Jacó; todas as suas mulheres e servas, todos os seus filhos e filhas.

O último acontecimento da nossa jornada foi o reencontro do meu pai com seu irmão gêmeo, Esaú. Dizem que meu pai o enganou. Não duvido. Meu pai tem essa fama. Mas parece que ele está tentando mudar. Enquanto isso, me sinto protegida pelos meus irmãos. Minha mãe também é muito presente. Acho que ela tenta compensar, talvez, todo amor que não lhe é dado pelo meu pai.

Finalmente paramos nesta terra que parece ser a nossa terra. Fixamos acampamento. Somos muitos. Nossa vizinhança é finalmente agradável e aconchegante. Nas cidades ao redor do nosso acampamento eu via e observava mulheres muito interessantes, muito lindas, com jeitos, cores e costumes tão diferentes dos meus...

Elas falavam sobre coisas que eu nunca tinha ouvido. Era um admirável mundo novo. E eu estava sempre lá, andando, admirando, absorvendo. Achei que passava despercebida. Achei que tinha me disfarçado bem. Eu não tinha medo de andar por aquelas ruas e vielas, até que...

Ele me olhou com olhos diferentes dos olhos negros do meu pai, sempre tão distantes. Meus irmãos também nunca tinham me olhado assim. O arrepio, os ossos tremulantes. O ar escasso. A boca seca. Eu via aquelas mulheres se misturarem com homens diferentes, de povos diferentes, de famílias diferentes. Tudo aquilo era de fato muito diferente. Mas aquele olhar tirou o meu fôlego e eu não sabia o porquê.

O sentimento de prazer daquele olhar era muito avesso à nossa árdua jornada e constante contrição. As histórias que eu ouvia sobre nossos antepassados já não me causavam nenhum sentimento. Aquelas repetições sufocavam a minha alma. Aquele olhar, naquela tarde me ofereceu algo diferente, perigoso, mas atraente. Desviei o olhar. O sentimento era forte demais.

O olhar então virou mãos que pegaram meus braços e me jogaram em um beco escuro à força. O olhar virou a voz que enaltecia minha beleza, mas eu não me sentia elogiada. Cada palavra dita ao pé do meu ouvido era uma pontada em meu estômago. Eu tentei fugir. Eu tentei sair. Eu gritei por socorro. Eu me debati. Eu perdi as forças. Desmaiei em meu próprio sangue e dor.

Voltei para nossa casa. Me lavei várias vezes. Taquei minhas roupas no rio. Me alimentei. Me recompus. Quando finalmente consegui respirar normalmente de novo, olho para o horizonte e quem vejo? Era ele. O príncipe da cidade. Tudo em mim me mandava fugir dali, da possibilidade da sua presença, que agora vinha em bando. E eu, tão indefesa, vulnerável, fragilizada, estava sozinha.

Ele veio conversar. Não consegue me esquecer. Fala sobre paixão. Eu só sinto dor e ódio. Vendo que a conversa comigo não ia a lugar algum, procurou meu pai e contou tudo para ele. QUE VERGONHA!! A resolução entre eles era rápida e "fácil": *vamos casá-los!*

Eles negociaram meu futuro. Dois povos viveriam como um. Mas a moléstia quem sofreu fui eu. Eu ouvia aquilo tudo, desesperada por uma voz que me defendesse. Olhava para meus irmãos, para meu pai... Ninguém falava por mim. A solidão era como uma mão em meu pescoço, que me sufocava lentamente. Ninguém perguntou o que eu queria, o que eu pensava, o que eu sentia... Até que ouvi um de meus irmãos falar e acordar alguma coisa diferente com o abusador apaixonado e seu pai. Eles por sua vez aceitaram. Tudo não passava de um ótimo negócio, mas o menino jurava que era paixão.

Eu fui levada para o covil. Para o lugar do abuso. Para a casa do molestador. Antes de ir, um de meus irmãos pediu que eu tivesse fé e não fizesse nenhuma besteira. Eu estava afogada em lágrimas, pavor e medo. Não comia há dias, não conseguia proferir nenhuma palavra.

Uma semana depois, ouço gritos. Corro para a janela. São eles! Eles vieram! Entraram como loucos e donos da cidade. Meus dois queridos irmãos, vieram me resgatar. E assim o fizeram.

Fui violentada por um homem, fui vingada por dois.

Dali, é claro, seguimos viagem. Éramos agora os descumpridores de acordos, com uma filha impura na caravana. Mesmo assim, éramos uma família. Nós enterramos tudo, debaixo de um carvalho. Nossos pertences, roupas, brincos, ídolos, dores e traumas. Tudo ficou ali naquele chão. E nós seguimos viagem. Fomos para Luz. O lugar onde Deus (também) está.

Eu não fiz por merecer a desgraça.
Mas ela veio mesmo assim.
Me quedei em meu luto.
E a graça veio mesmo assim.
Talvez essa seja a questão da jornada.
Não deixar de ir por causa do que nos aconteceu.
O socorro vem. As tragédias ficam para trás.

Mesmo marcada, a gente aprende a continuar e caminhar.
A Luz está vindo nos encontrar.

DINÁ é a sétima filha de Jacó com Lia, e a única filha mulher de Jacó que é registrada nas Escrituras. Seu nome significa "julgamento" ou "a justa", "a vingada". Sua história é contada no capítulo 34 de Gênesis.

Uma brecha brilhante na escuridão

por **Débora Otoni**

TODO MUNDO EM quem eu toco morre.

    Meu primeiro marido morreu.
    Não tivemos filho.
    Acho que meu corpo é um cemitério de gente e de sonhos.

    O segundo casou-se por obrigação.
    Eu tinha que ter descendência, e era seu dever me dar.
    Mas ele preferiu jogar fora a vida que dele jorrava.
    O sêmen vai ao chão.
    O chão batido e pisado, tem mais valor que meu ventre.
    Este também morreu.

    Com sina de morte. Desprezada.
    Não foi suficiente. Morreu também minha casa, meu pertencimento.
    Eles não me quiseram mais entre eles.
    Minha carga era muito difícil de aturar.

— TAMAR, NORA DE JUDÁ —

Fui enganada.
Jogada de lado. Não produzia o que eles queriam.
Não tinha utilidade, serventia.
Resolvi cobrir minha vergonha com um véu.
Pagar minha solitude, meu abandono, com vingança.
Me desumanizei, me vendi.
Fui pagar com mal o mal que me fizeram.

Fui desvendada.
Me tiraram como meretriz, mas não podiam me matar.
Quem me desonrou era o guardião das regras.
Ele queria queimar a pecadora viva. Até que descobriu que o fruto do pecado era dele.
No fogo não se queimam as lembranças dos nossos malfeitos.
Ele reconheceu.
Eu concebi.
Vi uma brecha na história, gerei vida, cansei da morte. E que brilhante foi esse meu fim.

    TAMAR *era casada com o filho primogênito de Judá, um dos doze filhos de Jacó. Sua história está registrada em Gênesis 38. Ela teve gêmeos – Perez, que quer dizer "brecha", e, Zerá que quer dizer "brilhante".*

A egípcia

por **Ana Elisa Staut**

A TERRA ESTAVA seca.

Sete anos. José tinha dito que durante sete anos haveria fartura no Egito, e assim a profecia se cumpriu. Agora as plantações tinham secado, os animais protestavam e desfaleciam em seus pastos. Só havia um solo estéril. Por toda a extensão do Egito, até onde era possível se enxergar, a terra estava seca.

Eu nunca havia duvidado de José. De Zafenate-Paneia.

O hebreu tinha os olhos no horizonte. Sua pele marrom-dourada parecia brilhar sob a luz do sol. As vestes de linho branco eram um contraste em meio a tanta poeira, o colar de ouro encrustado com joias azuis e vermelhas pendendo em seu peito largo. Poder, era o que diziam. Adornos de um príncipe, alguém abençoado pelo próprio Faraó.

— *Estamos preparados* — ele disse. — *Povos de todos os lugares estão no Egito procurando por comida, assim como o nosso povo. Nosso trabalho está feito.*

Nosso povo. Encarei o rosto do meu marido, os traços belos de um homem marcado pelo sofrimento. José tinha sido vendido pelos próprios irmãos, servido como escravo em terras egípcias, aprisionado em celas imundas. Um sofrimento que agora batia em nossas portas novamente.

Eu estava preocupada, e com razão. Pouco depois de abrirem a nação para visitantes desconhecidos, entre núbios e semitas, um grupo tinha se destacado em um dos postos de estação de alimentos. As roupas mais puídas, os rostos mais desgastados, vindos de longe. Os homens confessaram ser de uma terra a leste do Egito. Algo despertou uma ira em José, resultando na prisão de um deles. Um espião, foi dito.

Guardas avançaram, lanças foram brandidas. Arqueiros também apontaram suas flechas. Os soldados se colocaram diante de mim e me protegeram, aguardando pelo seu senhor.

Mas ali estava ele, com os olhos sombrios e repletos de fúria, o governador do Egito ordenando a prisão imediata de um dos estrangeiros. Suas ordens foram obedecidas sem questionamento. Os ombros erguidos, a espada em punho, José não voltou atrás. Suas mãos tremiam com uma raiva selvagem.

Em meio a lágrimas, o motivo de toda a comoção foi revelado mais tarde. A verdade que não era simples, era um buraco de dor enterrada por anos.

Eram seus irmãos, meus cunhados.

Aqueles que o tinham vendido. Meu marido os tinha reconhecido.

Devido à fome, a tribo de Canaã viera pedir socorro aos seus vizinhos, e Zafenate-Paneia se encontrara com os traidores de seu sangue.

José não era mais o escravo que tinha chegado ao Egito com medo e raiva. Não era o servo de Potifar, ou mesmo aquele menino que muitas vezes atraía o olhar das garotas egípcias, curioso e obediente.

Era o governador do Egito, o braço direito do Faraó.

— *Você nos preparou, Zafenate-Paneia.* — disse o sacerdote.

Os homens ao seu redor concordaram, saudando José com uma curta reverência. Nessa hora senti os olhares de soslaio em minha direção. Não era comum mulheres participando de reuniões e visitas oficiais, mas eu queria ver com meus próprios olhos os estoques de trigo que José tinha trabalhado tanto para construir. Anos de colheitas sendo armazenadas para suprir o

– A EGÍPCIA –

período de seca, e meu marido não hesitara, tinha me levado consigo para observar tudo. Ninguém ousaria discutir com o governador.

Permaneci impassível, mas o orgulho transbordava em meus olhos. Tinha visto José passar noites acordado, conferindo os projetos, se encarregando pessoalmente de fiscalizar os trabalhos e administrar as reservas. Agora, o rosto suave era apenas uma máscara escondendo a agonia. Eu sabia disso. Conhecia meu marido melhor que qualquer um e reconhecia a postura dura e a aparência firme como o que realmente eram: um homem que tinha revivido seus piores dias e relembrado seus maiores pesadelos.

E, ainda assim, permanecera bom. Seu coração me fazia questionar tudo que havia aprendido e vivido. Questionar os deuses, o próprio mundo. Quando José interpretou os sonhos do Faraó, revelando os tempos de abundância e de agonia daqueles que o tinham maltratado, ele poderia ter virado as costas, mas não o fez. Eu o tinha visto. Vi ele inteiro.

Tínhamos nos casado. Do amor surgiram Manassés e Efraim. Tudo com o que eu sempre tinha sonhado: uma família.

Queria poder ajudá-lo. Queria ajudar José e tirar seu sofrimento de uma só vez, mas não havia como. A cicatriz estava aberta.

Naquela noite, quando voltamos para casa sem saber o destino dos traidores, eu o abracei com força. José chorou, e me encarreguei de secar suas lágrimas.

Tirei suas sandálias, a túnica de linho e o colar do seu pescoço. Apanhei seus anéis, os braceletes de ouro e, com um pano úmido, limpei os resquícios de poeira e suor de sua pele. Lavei seus braços, suas mãos e pés. Tomei um unguento de ervas nas mãos e massageei seu corpo, demorando-me em seu pescoço tenso.

Deitei a cabeça de José em meu colo, desembaraçando seus cabelos com cuidado. E desejei que Deus lhe guiasse. Orei.

O Deus de José. Ele tinha me ensinado sobre o seu Deus. Sobre Sua soberania e justiça, Sua força e ordens. Era diferente dos deuses egípcios, era... Completo.

Eu, a egípcia, esposa do hebreu que governava o Egito, sabia meu papel. Sabia que o caminho amargo tinha o trazido até mim, tinha o feito importante para que cuidasse dos povos da terra. Beijou o rosto de meu marido. Eu deveria amá-lo.

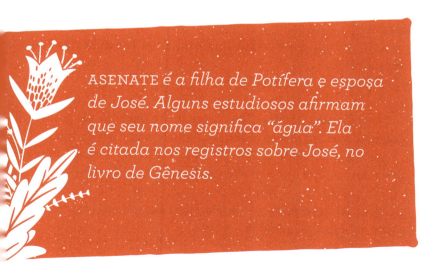

ASENATE *é a filha de Potífera e esposa de José. Alguns estudiosos afirmam que seu nome significa "água". Ela é citada nos registros sobre José, no livro de Gênesis.*

Sifrá e Puá

por **Débora Otoni**

FOMOS CHAMADAS NO palácio construído com nosso sangue
Ele queria mais, nós éramos demais.
Faraó dá ordens descabidas.
Nós entendemos que é lutando pela vida que mudamos o destino de um povo.
Desobedecemos o sistema. Confiamos no temor e na certeza que tínhamos. O EU SOU era presente, mesmo quando vivíamos em tempos tenebrosos.

A escravidão, a demora e a tortura não nos afastaram de YHWH.
EU SOU tem seu caminho na tormenta. No gueto. Pelas nossas mãos.
Ele fala, se move, age, salva.

Deus é a nossa defesa. Ele nos livrou, pôs palavras em nossas bocas, forças em nossas mãos, esperança no nosso coração.
Deus nos defenderá. Ele nos livrará. Quantas vezes mais precisarmos. Até que a morte seja a nossa liberdade final.

Vimos Sua beleza e Seu esplendor nascendo em forma de gente, meninos e meninas.
Quais deles seriam registrados no livro?
Seja quem for, dá-nos força para salvar a todos, Senhor!

Tiranias e tirânicos não sobrevivem à força da fé, da esperança e do amor.

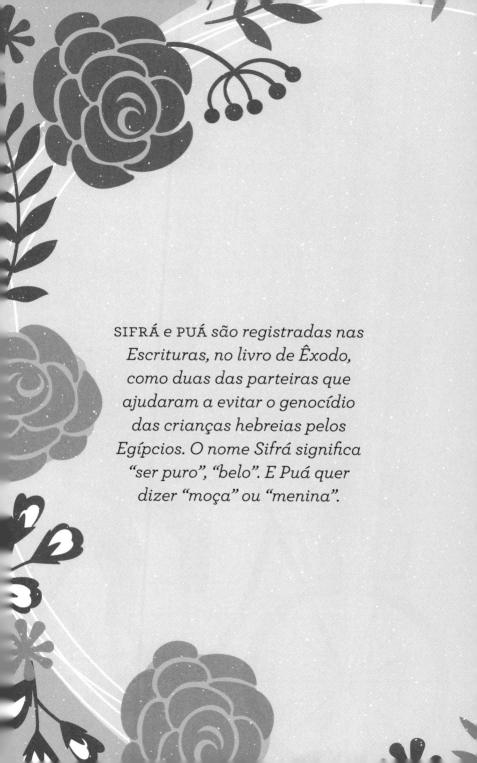

SIFRÁ e PUÁ são registradas nas Escrituras, no livro de Êxodo, como duas das parteiras que ajudaram a evitar o genocídio das crianças hebreias pelos Egípcios. O nome Sifrá significa "ser puro", "belo". E Puá quer dizer "moça" ou "menina".

A estrategista

por **Natália Lago**

EU PRECISEI TER um bom plano. Há meses evitávamos chamar a atenção, mas depois de um tempo não conseguíamos mais ser tão discretos. Como qualquer bebê saudável de três meses, meu filho chorava alto. Seus gritos poderiam colocar tudo a perder. Foi então que percebi que era hora de agir.

O cesto não poderia ser qualquer um. O pez, uma substância que serviria para revestir o leito, o protegeria do calor e não permitiria a entrada de água. Os juncos entrelaçados davam forma ao balaio aconchegante e ao mesmo tempo se misturavam com outros juncos, que cresciam à beira rio.

Lá ele foi colocado. Meu coração pulsava dolorosamente.

Miriã, a irmã do meu bebê, ficou à espreita esperando que a filha do Faraó descesse ao rio com suas donzelas para se banhar. Essa era a sua rotina, e eu só precisava que não houvesse imprevistos.
Não naquele dia. Deus estava comigo.

As coisas começaram a acontecer do jeito que eu tinha planejado. A filha do Faraó foi ao rio. Aquela era a hora de o meu bebê se manifestar. O choro que em todas as outras vezes poderia levá-lo à morte seria, naquele momento, sua salvação.

Meu garotinho era formoso de um jeito diferente. Dentro de mim eu tinha a certeza de que sua vida seria grandiosa. Por isso, eu não poderia me conformar com a situação em que nós, hebreus, nos encontrávamos.

Eu tinha um plano, e, acima de tudo, eu tinha fé.

O novo Rei do Egito desconhecia a história que ligava o povo de Israel ao seu povo. Ele não conhecia nosso antepassado José e temia que algum dia nós pudéssemos nos voltar contra o Egito.

– JOQUEBEDE –

Além disso, se sentia intimidado com o fato de sermos numerosos e saudáveis.

Após várias retaliações frustradas, o rei do Egito ordenou que todos os meninos que nascessem dos hebreus seriam lançados ao rio Nilo. Mas as meninas seriam poupadas.

Eu era casada com Anrão, um homem da casa de Levi. Eu também pertencia à mesma tribo. Quando dei à luz, minha cabeça não parou de pensar em meios de salvar meu menino da morte. Eu não me entregaria assim tão fácil!

Eu tinha minhas limitações, mas lamuriar sobre o meu lugar na sociedade não resolveria meu grande problema. Precisei ser cautelosa e paciente. Durante três meses, enquanto o bebê crescia, eu pensei muito, e diversas vezes refiz em minha cabeça os passos detalhados da minha tarefa.

O cesto já estava pronto, a criança limpa e alimentada. O leito do meu filho se misturava com a vegetação às margens do rio. A filha do Faraó estava se banhando, e só faltava uma coisa: o bebê chorar. E meu menino não decepcionou, mostrou o quanto seus pulmões eram saudáveis e logo foi encontrado. Ele gerou comoção entre as mulheres ali presentes.

A filha do Faraó o tomou em seus braços. Ela sabia que ele era um bebê hebreu, e mesmo assim não deixou de sentir compaixão. Eu não estava presente nesse momento, mas Miriã era a minha aliada. Logo ela chegaria com notícias. Eu tinha certeza de que a sorte de meu filho estava para mudar.

"Quer que eu vá chamar uma ama hebreia que crie este menino?", minha menina, tão astuta, perguntou à filha do Faraó, que deu uma resposta afirmativa.

Quando ouvi os relatos esbaforidos de Miriã, corri até as margens do rio. Aquela mulher poderosa me ofereceu um salário para criar o meu próprio filho. Eu não sabia se ela tinha percebido que aquilo era uma armação. Uma mulher como ela, com tanta instrução, não seria ingênua a ponto de deixar se enganar. Mas não importava. Meu plano era poupar a vida do meu filho, e isso eu tinha conseguido. Tudo que eu sabia era que, de algum modo, aquela situação mexeu com o lado humano da filha do Faraó.

O plano tinha dado mais do que certo. Eu ficaria com meu bebê até que não fosse tão dependente. O tempo passou e, nos seus primeiros anos de vida, ele pôde aprender sobre o nosso Deus. Quando cresceu, eu tive que levá-lo a filha de faraó. Ela o adotou e lhe chamou de Moisés.

Das águas o tirei, esse era o significado de seu nome.

Moisés cresceu, recebeu uma boa educação dos egípcios, mas nunca deixou de ser um israelita. Nossos princípios estavam arraigados em sua mente e em seu coração. Ele se tornou um líder, marcando a história do nosso povo.

Eu como mãe, não poderia me sentir melhor.

Mesmo sendo de um tempo em que as mulheres eram extremamente subestimadas, eu não pude deixar de agir. A vontade de cumprir o meu papel de mãe me fez ser ousada. Eu não poderia vencer minha batalha bradando discursos eloquentes. Muito menos sair medindo forças com quem era muito mais forte do que eu. Eu teria muito a perder se agisse com imprudência. Meu atrevimento estava no silêncio. Essa era a minha maior revolução.

Ao deixar Moisés no rio Nilo, confiei em Deus e entendi que a atitude que tomei valeria para além da minha própria vida.

Meus olhos não veriam muitas coisas que ainda estavam para acontecer, eu não era eterna. Mas minhas ações perdurariam.

Tudo porque um dia resolvi ser uma estrategista que acreditou na providência divina.

JOQUEBEDE, *"o Senhor é glória"*, *esposa de Anrão e mãe de Arão, Moisés e Miriã. Sua história é registrada no livro de Êxodo.*

A gente devia ser mais honesta umas com as outras

por **Leane Barros**

VOCÊ JÁ TEVE aquela sensação de trabalhar duro, de ter ideias incríveis, de dar mais que os outros e receber menos em troca, de se doar, sofrer e ir até o fim e parecer que ainda não foi suficiente? De parecer que faz, faz e faz e só os outros são reconhecidos por isso? Eu já.

Antes de me apresentar, é bom que você saiba que já tive pensamentos e sentimentos assim. Não sou perfeita, já senti inveja (e mais um monte de outras coisas). Pode parecer que não, mas sou humana. Humanos erram; logo, eu também.

Não é exatamente esse o motivo pelo qual estou escrevendo aqui. Só achei de bom tom você saber que sou imperfeita, assim como você, e que nossos sentimentos ruins podem ser longos ou breves, mas eles não nos definem. Eu e você podemos falar deles, aprender e prosseguir.

Prazer, sou Miriã. Você pode ter ouvido falar de mim como profetiza, como alguém que canta, dança, toca pandeiro e, principalmente, como irmã de Moisés.

A gente deveria ser mais honesta umas com as outras, abrir o coração, sabe? Pôr tudo na mesa.

Existem dias em que tudo o que a gente quer é que o dia chegue ao fim. Alguns dias são muito difíceis. Penso que se falarmos mais sobre isso umas com as outras, pode ser mais leve e menos solitário.

Foi muito difícil crescer num contexto no qual éramos escravos. Tínhamos escassez de sobra, não tínhamos liberdade de escolha e nem podíamos nos expressar livremente sobre o que críamos. Éramos tolhidos em tantas coisas... Você já se sentiu assim? Sem poder fazer o que quer e ser quem você realmente é, se sentindo com muitas limitações ao redor? Eu já.

Foi muito difícil ter que esconder meu irmãozinho para que ele não fosse assassinado pelos egípcios. Cada dia, cada barulho, era um medo diferente de que fôssemos descobertos.

Até que um dia já não dava mais para escondê-lo. Caramba, que dia difícil. Tudo aconteceu tão rápido... E de repente estava ali meu irmãozinho num cesto pelo rio afora.

Perder o controle das coisas é horrível! Tudo que pude fazer foi acompanhá-lo pela margem pedindo que Deus tivesse misericórdia. E Ele teve.

Meu irmão, Moisés, estava a salvo e pela mão de uma egípcia. Deu um calafrio! E se o matassem por ele ser um hebreuzinho sem valor?

Moisés caiu na graça dela e, quando vi, eu já estava oferecendo à princesa uma saída para amamentar e cuidar do menino. Foi maravilhoso mamãe poder estar perto dele todo esse tempo, isso aplacava nossa saudade. Porém, não nego, foi horrível, depois do desmame, perdermos ainda mais o contato.

Víamos Moisés a distância, crescendo tão diferente de nossa cultura e crença. Depois ele fugiu e ficamos sem notícias por longos anos. Foi sim muito difícil vivenciar e esperar o desenrolar da história.

Esperar, ter paciência, acreditar, permanecer...

Permanecer, tá aí uma coisa pra lá de complicada. Permanecer crendo, esperando, tendo paciência e ainda fazendo o que é certo todos os dias: sério! É m-u-i-t-o difícil. Mais trabalhoso que fugir dos soldados.

É muito comum me perguntarem: *"Como é ser irmã de Moisés? O grande libertador!"*, ou ainda *"Como você é capaz de dançar depois de tudo que sofreram?"*.

Sempre fico alguns segundos (às vezes minutos) relembrando as coisas que passei desde pequena antes de responder. Sempre chego à mesma conclusão...A melhor pergunta seria "Como é ser de uma família em que Deus se fazia presente?".

Eu falei bem por alto das coisas árduas. E como disse antes, nós mulheres precisamos ser cada vez mais honestas umas com as outras sobre nossas dificuldades e sofrimentos para que nenhuma de nós fique achando que precisamos ser super-heroínas. Existem dias dilacerantes, sim. Mas isso não é tudo!

O lance é que não tem como falar dos dias penosos sem falar de Deus também. Por isso a pergunta não é sobre nós, mas sobre Ele.

Ele tornou nosso tempo de escravidão em força, aprendizado, unidade. Nunca nossa família esteve tão unida. Deus nos deu pequenos oásis o tempo todo: nas crianças que nasciam, nos pães que ainda tínhamos, na sobrevivência após as chibatadas, na água fresca que vez por outra chegava, nos cânticos que nos dava, na esperança que nos assaltava o peito no meio das atividades do dia nos lembrando da promessa que Deus fez ao seu povo e de como tinha cuidado de todos os nossos antepassados. Isso nos aquecia e impulsionava a viver um dia mais. Deus nos deu a graça de enxergá-lo quando nossos olhos ficaram turvos e os dias eram sombrios, nos lembrava constantemente de que estava conosco, dando pistas; tudo que pedíamos era que nos ajudasse a nos manter atentos aos sinais que nos dava e ao seu amor.

Por isso eu danço! Danço com todas as minhas forças, canto com toda a minha voz. Meus olhos contemplaram o favor de Deus. Ele fez chover no deserto do nosso coração. Eu danço e canto não porque tudo sempre foi fácil e bom, mas porque Ele nunca nos deixou sós, Ele ouviu nosso clamor, Ele cumpriu o que prometeu. É Ele mesmo que me encheu de alegria e criou caminhos onde não havia.

Não porque eu era boa o suficiente, não porque meu coração nunca se contaminou por sentimentos ruins, não porque eu sei, por mim mesma, o que fazer em cada adversidade.
É por quem Ele é.

Nós deveríamos ser mais honestas umas com as outras, abrir o coração, sabe? Pôr tudo na mesa. Falar dos dias ruins e também dos dias bons. Porque "quer vivamos, quer morramos, somos do Senhor!".

Nos dias que a gente quer que acabem e nos que a gente deseja que não tenham fim: em todos eles Deus está presente, porque só Ele é eterno. Tenho uma verdade cravada em meu peito: valeu a pena esperar o Senhor!

Prazer, meu nome é Miriã. Filha de Anrão e Joquebede, irmã de Arão e Moisés, profetiza, que dança, canta, toca, se entristece, chora, indaga, permanece, sofre e crê. Imperfeita, forte e fraca, assim como você. Graças a Deus.

MIRIÃ, *irmã mais velha de Moisés e Arão, filha de Joquebede. Seu nome significa "elevada", "pura" e "amada". No livro de Êxodo encontramos registros sobre ela.*

Zípora

por Ana Elisa Staut

– ZÍPORA –

SARÇA ARDENTE.

As palavras penderam no ar.

Sarça ardente.

Queimava, mas não se consumia.

— *Zípora* — ouvi.

Eu estava paralisada. Medo, percebi. O que ele estava dizendo era impossível, completamente impossível e, ainda assim, não havia uma gota de mentira em seu rosto, em suas palavras.

Moisés me encarou. As vestes azuis simples e puídas não combinavam com seu porte firme e elegante, uma presença constante do seu passado. Apesar de ter sido um príncipe egípcio, um nobre, nunca o vi reclamar de passar seus dias cuidando de um rebanho de ovelhas ou encarregando-se da terra.

Mas tudo mudaria.

Ele tentava me contar com calma, as palavras fluindo de sua boca com tamanha intensidade, que me tiraram o fôlego. Deus se revelara, e a ordem era bastante clara.

— *Vá, pois, agora.*

O medo corroeu meus ossos. O Faraó do Egito era cruel, não se importava com seus escravos e os tinha massacrado, assim como seus antecessores o fizeram. Matar Moisés seria diversão, tão fácil quanto palitar os dentes.

Havia uma dinastia. Um império. Os egípcios não perderiam seus servos e seu líder não abriria mão de seu poder. Eles tinham armas e soldados treinados.

— *Não há como* — sussurrei. — *Você é um homem e eles são centenas. Milhares.*

— *Zípora...*

— *O seu povo está aqui, Moisés.*

Ele se ajoelhou. Suas mãos tomaram meu rosto, os olhos se demorando nos meus.

Havia doçura ali, compreensão e apreço. Mas também havia dor, algo que ele tinha tentado suprimir desde que chegara às nossas terras.

— *Enfrentá-los é loucura! Não temos um exército, não temos como abrigar todos os hebreus em Midiã.*

— *Deus lhe presenteou com a liberdade, esposa. Vocês nasceram livres. Mas o meu povo tem sofrido por gerações. Tem sido feito de escravo, tratado como cães e insetos. Por toda a minha vida, soube que não pertencia entre os egípcios, mas ignorei os horrores e a destruição do povo de Israel. Não mais. Não posso mais ignorá-los. É meu dever.*

Minha respiração estava acelerada, o tremor tomando conta das minhas pernas. Angústia.

— *Temos filhos, Moisés. Não pensa neles? Não é só seu lar que vai deixar para trás.*

Tem a mim. Pensei, mas não pude pronunciar tais palavras, engasgadas em minha garganta. *Tem a mim!* Eu queria gritar *"Por favor, não me deixe".*

— *Penso neles em cada respiração. Penso em você, Zípora. Mas não posso nem vou desobedecer a Deus. Meu amor por vocês me leva a servi-lo.*

Pude sentir meu coração em minha garganta, as lágrimas se acumulando em meus olhos. Eu queria implorar.

Por favor, não vá.

Algo me dizia que Moisés não voltaria. Ele não retornaria a Midiã.

— *Por favor, não chore!* — ele pediu. Seus dedos calejados acariciaram minhas bochechas.

Mas o choro veio. Minhas memórias pareciam serpentear por minha mente. A primeira vez que ouvi sua voz, a primeira vez que dançamos ao redor da grande fogueira. A primeira vez que suas mãos tocaram meu rosto em nossa união, diante do Deus da sarça e da nossa família.

— *Não vou conseguir te convencer, não é?* — sibilei.

Um sorriso fraco despontou em seus lábios. Meu peito se apertou e me esforcei para não ceder ao desespero. Moisés tinha aceitado seu destino. Seja lá o que fosse, a morte ou triunfo, ele seguiria o caminho que Deus lhe ordenara.

— *Guiaremos a nação para a Terra Prometida. Para Canaã.*

"*Se sobreviver*", eu queria dizer. Se por algum motivo o Faraó não o executasse antes mesmo de entrarmos no Egito.

— *Tenha fé, Zípora!*

Fé. Meu hebreu era conduzido por uma força extraordinária. Um tipo de amor e devoção ao Senhor que constrangia os próprios sacerdotes e pastores, e me constrangia a buscar mais e mais; a deleitar-me na presença do Criador.

Sua devoção fazia dele um bom homem. Um bom pai. Um bom marido.

— *O que fará quando chegar ao grande palácio? –* perguntei.

— *Ramsés permitirá minha passagem.*

Tinham sido irmãos. Moisés era filho adotivo de uma princesa, um príncipe exilado retornando ao berço em que cresceu, caminhando para uma sentença já decretada.

— *Deus dará sinais de seu poder a todo o Egito. Não haverá homem, mulher ou criança que não verá a glória de Deus.*

— Como consegue? — perguntei, não mais alto que um sussurro *— Como consegue confiar dessa forma?*

Os planos haviam mudado. Envelhecer juntos ao lado do monte Horebe não era mais uma opção. Lutei contra a amargura que crescia em mim. Lutei contra a dor de abandonar a terra em que cresci, meus sonhos e desejos. Nossa segurança. Porque, onde Moisés fosse, eu seguiria seus passos. Provavelmente morreríamos nas mãos dos inimigos.

— Você confia em mim, esposa?

Ele já sabia a resposta.

— Sim.

— Então porque não confiaria Nele?

Surpresa pintou meu rosto. Moisés continuou.

— Estamos vivos porque Ele permitiu. Cada dia e noite, cada tempo e as alegrias que tivemos foram presentes. Se confias em mim, que te dei muito menos, por que não confiaria em Deus, que lhe deu tudo?

Porque sou fraca. Porque estou prestes a perder tudo que tenho. Porque sou egoísta e quero mantê-lo em segurança, manter nossa família e tudo que conquistamos.

Mas somos todos fracos. E por isso Ele nos sustenta. E permaneceria assim, até que seus planos se concretizassem. Eu não retornaria a Midiã.

— Vou com você.

Seus olhos escureceram.

— Zípora, por favor...

— Sou sua mulher. Diante de Deus somos um e eu o seguiria até o campo de batalha, se necessário.

E era verdade. Eu o amava com toda a minha alma.

— Não tente me impedir. Imploro que não o faça.

Moisés suspirou, mas pude sentir seu alívio. Ele se inclinou, beijando meus cabelos.

— Partiremos ao amanhecer.

ZÍPORA era filha de Jetro, e foi dada por mulher a Moisés. Com ele teve dois filhos, Gérson e Eliézer. Sua história e a de sua família estão no livro de Êxodo. Seu nome quer dizer "aquela que é livre".

Um soneto

por *Yule Matos*

Fui mulher da vida e na vida me perdi,
Cada dia no vazio de um abraço.
E, de tanta tristeza que vivi,
Meu corpo e alma entraram em descompasso.

Até que um dia dois espias eu vi,
E para eles ofertei o meu regaço.
Pela fé no Deus que salva, revivi,
E minha vida ganhou um novo traço.

Oh, graça que me alcançou e me desfez!
Me salvou no instante em que cri,
E, para a vida que anuncia Deus na Terra, me refez!

Oh, graça que mudou meu mundo de vez!
Do meu ventre descendeu o rei Davi,
Para a linhagem de Jesus Ele me fez.

RAABE quer dizer "ser espaçoso", "vasto". O apóstolo Tiago e o autor da carta aos Hebreus a descrevem como acolhedora. Ela tem sua história contada no livro de Josué e é mãe de Boaz.

Débora

por **Izabella Vicente**

Esposa de Lapidote
Profetisa
Julgava Israel

É ASSIM QUE o texto bíblico me apresenta.

Primeiro, meu nome. Então eu era alguém, um sujeito, eu tinha uma identidade. O significado desse nome estava relacionado às abelhas e ao barulho. Abelha trabalhadora, mulher trabalhadora e esforçada. É, isso tem muito a ver comigo.

Acordo cedo, ponho minha mente a refletir *"Ei, Deus, o que queres de mim?"*. Mas já arrumo os cabelos e também o café, a mesa tá pronta e estou de pé. A rotina é intensa não consigo parar. Há tanta injustiça no mundo, e ainda tenho que arrumar o jantar. Também não posso esquecer dos conflitos, das respostas e das soluções. Estão me chamando, eu preciso ir.

Ah, não esqueçam.... Sou esposa de alguém.

Sim, tenho um marido. Essa talvez seja a parte mais importante da minha definição. Sempre sou lembrada como uma liderança pública, uma juíza de Israel, alguém que resolve problemas do povo, mas, antes disso, bem ali, depois do meu nome, na apresentação do texto bíblico, eu sou esposa de Lapidote, sabe? Algumas pessoas podem estranhar o fato de que o texto fala pouco dele e muito de mim.

Mas, calma. Vocês já consideraram que talvez ele seja um homem de vocação simples? Cuidar dos cavalos ou construir tendas em vez de realizar audiências debaixo de uma palmeira? E o que há de errado nisso? Construir tendas é tão importante quanto resolver conflitos sociais. Ninguém vive sem casa e ninguém vive sem paz.

Ser esposa de Lapidote é parte de quem eu sou. Sem ele ao meu lado, sem o seu braço forte, sem a orientação e o cuidado do matrimônio talvez eu não estaria onde estou. Nem todas as mulheres vão se casar, mas eu me casei. Eu sou casada e, apesar de isso não definir tudo, é parte de quem eu sou, e tudo bem também.

Poxa vida! Olha quantas linhas já gastei...
Mas continuarei...

Também sou descrita como profetisa. Então, vocês sabem, né? Eu ensinava e pregava a Palavra de Deus. Tinha essa responsabilidade, tanto é que coube a mim mandar o papo reto de Deus para Baraque reunir um exército.

Por último, mas super importante e é o que mais costumam dizer: eu fui juíza em Israel.

Eu sou um dos únicos exemplos de liderança feminina expressos na Bíblia. Sei que vocês aí do século 21 me citam muito em seus debates sobre papel da mulher e etc., mas vejam bem o que estão dizendo de mim, hein?

Fato é que DEUS ME CHAMOU.
Sim, eu fui chamada por Deus para cumprir isso.

NÃO-TENHO-CULPA se o próprio Deus atendeu ao clamor do povo me levantando como uma liderança civil. Onde já se viu? Eu, uma mulher, sendo voz na sociedade.

É vocação de Deus, é dádiva, é bondade.

Vamos lá. Após o corre-corre do início do dia, eu ia para debaixo de uma palmeira.

– DÉBORA –

Sim, debaixo de uma palmeira. Ali era o tribunal. Eu ouvia o que o povo tinha a dizer e resolvia seus conflitos.

Esses conflitos iam de picuinhas familiares até direitos de propriedade. Tinha tudo quanto é tipo de problema. Sempre busquei ser conselheira, justa e sábia. Deus permitiu que eu fosse a líder que o povo precisava. Muito mais do que comandar exércitos, era necessário que eu conduzisse e inspirasse Israel.

Um povo tão marcado pela opressão e dureza de anos anteriores precisava de uma líder que trouxesse conselho, conciliação e paz.

Eu não podia levar tudo na base do tiro, porrada e bomba, mas, sim, convoquei Baraque para reunir os exércitos.

Sujei meus pés com o pó do campo de batalha, marchei junto de Baraque e disse quando era necessário entrar em ação, e assim o Senhor derrotou as forças inimigas.

Eu não fui uma salvadora de Israel, que era forte e poderosa o suficiente. Eu não era a super-heróina nem tinha porte para rainha redentora. Eu tive ajuda, eu tive exército, eu tive Jael.

Eu fui Débora, a mulher que foi resposta para um povo aflito que clamou ao Senhor.

Eu, Débora, esposa, profetisa e juíza. Exerci minha missão com sabedoria e amor.

Sei que no século 21 devem existir muitas Déboras. Pois despertem! Despertem pelo poder do Senhor. Despertem, pois a esfera pública também precisa de vocês. Despertem, com toda a graça e com todos os atributos femininos concedidos pelo Criador.

> DÉBORA *é a única mulher a ter ocupado o cargo de juíza nesta era do povo hebraico. Sua história pode ser encontrada em Juízes 4. Seu nome quer dizer "abelha".*

Jael

por **Izabella Vicente**

É NECESSÁRIO CORAGEM para responder à responsabilidade delegada, sem titubear.

Jael, mulher de Héber, o queneu.
Mulher comum, nômade, não era do povo de Deus.
Mas o que a moveu? Como ela sabia que seria responsável por matar um inimigo de um povo que nem era o dela?

Diferente.

Jael não era parte do povo de Israel, mas foi pela estratégia e inteligência daquela mulher que Israel venceu.
Pelas mãos de Jael, o inimigo morreu.
Pelas mãos de uma mulher diferente veio a vitória.

Heroína.

É surpreendente,
Deus se manifesta por meio de todo tipo de gente.

De repente, quem não era parte torna-se bendita, e uma gente estranha se torna amiga.

Jael ensina: quando se trata do Senhor, ser uma mulher, nômade, numa tenda, em meio a um conflito não é impedimento, e sim encorajamento.

Ela não se omitiu, não desistiu, não deixou que sentimentos como medo e insegurança a paralisassem.

Coragem.

Ainda que temesse, ainda que aquilo a assustasse, ela foi além, pois fazia parte de algo muito maior, afinal, era uma missão dada por Deus, liderada por Débora, e da qual ela precisava ser parte.

Irmandade.

Mulheres de povos e posições sociais diferentes, trabalhando juntas numa missão.

Jael teve oportunidade de finalizar uma situação de conflito e aquilo era muito maior do que qualquer diferença social ou temor.

Ela estava movida em nome do *Senhor*.

> JAEL, *"aquela que ganha"* ou *"corajosa"*, é citada sete vezes no livro de Juízes. Usou de sabedoria e estratégia para aniquilar um inimigo. Com sua coragem livrou o povo de Israel da opressão dos cananeus que já durava mais de 20 anos.

A brutal, furiosa e excepcional maternidade

por Andreia Coutinho Louback

UM MILAGRE, UM presente e um enigma. *"Não passe a navalha na cabeça dele"*, foi uma das instruções que a mulher recebeu sobre o seu filho, que já estava a bordo. Como assim estava a bordo? A saga do grande mistério se deu porque, na verdade, não havia possibilidades ou esperanças perdidas. Ser estéril era uma realidade e, talvez, uma crise já bem resolvida. Há momentos em que simplesmente aprendemos a lidar com a dor e a frustração de sonhos ainda não realizados, mesmo que os questionamentos sejam ininterruptos.

A maternidade significa muitas coisas simultâneas. E, quando observamos a dimensão cultural, há uma infindável lista de atribuições a serem consideradas. No contexto do povo de Israel, o período era polêmico e de muitas guerras e incertezas. O cenário não era nada favorável àquelas famílias, mulheres, homens, crianças e bebês. Simplesmente porque pelos próximos 40 anos os israelitas estariam sob o domínio dos filisteus.

Então, em tempo de más notícias e más expectativas, a mulher de Manoá é visitada por um anjo, que lhe dá a luz da maternidade. *"Você já está grávida de um menino!"*. Reparem que a única informação que temos sobre ela é sobre sua infertilidade. Não, não sabemos da sua trajetória, do seu protagonismo na tribo de Dã, não sabemos nem ao menos se ela realmente ainda desejava ser mãe. Não sabemos sua idade, não sabemos características de personalidade, nem se ela menstruava. Embora essas informações nos tenham sido privadas, não precisamos de muitos argumentos para a convicção de que estamos diante de uma grande mulher: a mãe de Sansão.

O parto, a criação e o exercício da maternidade foram o segundo round da vida daquela mulher. A cada manhã, ela se perguntava como tinha sido possível viver quase metade da vida sem Sansão. Aquela relação de unidade era intacta e, pode apostar, ninguém nunca viveu nada semelhante até finalmente ser a personagem da vez. Quanto mais Sansão crescia, mais ela tinha certeza de que se aproximava a hora da despedida. A promessa foi cumprida e, no ato do nascimento, ele foi consagrado como nazireu e ninguém nunca tocou em um fio sequer do seu cabelo. Suas sete tranças eram símbolo de poder e de um enigma que ninguém – ninguém mesmo! – poderia ser capaz de decifrar. Ele cumpriu regras específicas, além dos sacrifícios usuais como, por exemplo, não beber vinho ou bebidas alcoólicas, não comer uvas, não se aproximar de um cadáver, não cortar o cabelo...

A consagração do seu filho, Sansão, refletiu no instinto de vida daquela mulher a mesma força avassaladora que veríamos na trajetória de Sansão num breve curso de tempo. Há uma força que a gente não mensura em palavras. Um vigor que transcende a racionalidade humana, furioso, extremo e excepcional capaz de (literalmente) rasgar um leão com as mãos como se fosse um papel. Essa mesma força – física e brutal – envolveu a mãe de Sansão em um intenso e forte amor, que vai até a morte se for preciso e resgata até o incognoscível para se assegurar da paz do seu pequeno e grande herói.

Esse é um breve ensaio sobre duas trajetórias disruptivas que fogem à naturalidade. Uma grande mulher, marcada por sonhos realizados e frustrados, recebe a missão da maternidade como inspiração divina, incorporada em força, convicção e coragem. O que pouca gente sabe é que, na derivação hebraica, o nome *Sansão* significa "sol", ou seja, ele é filho do sol, e ela é a dona da luz do mundo, que irradia as chamas do universo, e protagonizou a existência da maior força encarnada no ser humano — e que, até hoje, nunca vimos nada igual.

A MÃE DE SANSÃO é apresentada em Juízes 13:2, primordialmente descrita como esposa de Manoá e estéril. Um anjo aparece e anuncia que ela engravidaria de um menino. Mais tarde, ela gera Sansão. A tradição rabínica a identifica como "Hazeleponi"; e o Talmude como "Tzelelponit".

– PATRIOTA –

A NARRATIVA DE uma guerra sempre faz do inimigo o vil, o desprezível, o cruel. A história de traição para um povo seria a história de bravura e lealdade para outro.

EM UMA VILA à sudoeste de Canaã uma menina brincava com uma espada de bronze de seu pai. A família vinda do Vale de Soreque se estabeleceu no litoral. Ele ficou conhecido como o "Capitão dos Povos do Mar".

Era costume encontrar a menina com aquela espada, escondida por entre as dunas de areia que rodeavam a costa. Antes das lutas o pai abraçava a menina, punha nela um colar com o anel da família. *"Pela Filístia!"*, ele dizia com a testa recostada sobre a pequena testa de sua valente filha. *"Pela Filístia!"*, ela repetia. Ele subia em seu poderoso carro de ferro, com a espada de bronze apontada para cima. *"Coragem, fidelidade e honra!"*, ele gritou. *"Coragem, fidelidade e honra!"*, os homens que o seguiam gritavam. E assim, era a tradição de deixar o litoral.

Vinte anos se passaram. Agora uma mulher, com os pés nas águas salgadas, espada na mão, despede-se do corpo de seu pai, que descansava em uma jangada de madeira. Após esse ritual, a família voltaria ao Vale de Soreque, onde seguiria com os rituais de morte no templo de Dagon.

Vingança
O sussurro do meu coração
Quero sangue, ainda mais
Range o dente, a alma, e o que mais tiver
Meu pai me chamou "dócil"
Minha mãe me chamou "frágil"
Hoje me chamo vingança
A água salgada salga o sangue de meu pai
E a terra o chama pra si
Os deuses nem posso falar alto

Se esqueceram de nós
Um homem só rasgando a vida de mil
Ódio aos israelitas
Vingança

Semanas se passaram, e ela não conseguia superar a morte de seu pai. Com a alma angustiada, preparou um cavalo e escapou para a colina que ficava defronte a Hebrom. A vista a acalmava, mas não conseguia segurar as lágrimas. Interrompendo seu pranto um homem falou com uma voz firme e agradável:

"Mais doce que o mel, mais forte que um leão."

De alguma forma seu luto encontrou paz depois de horas conversando com aquele atraente estranho.

Sou do Vale do Soreque. Serva de Dagon. Filha dos povos do mar. Do clã dos filisteus.

Ao que ele respondeu: *"Sou de Zorah. Servo de YHWH, o Deus criador dos céus e da terra. Do clã da tribo de Dã."*

Ele parecia filho dos deuses, mistura de bondade e imprudência. Ela era a mulher mais linda que ele já tinha encontrado. Olhares se trocavam, e sorrisos.

E foi assim, um encontro acidental, momento que traçava de fato, o destino breve de suas vidas. Estavam apaixonados, e sabiam disso. Ela se levantou e entregou a ele uma concha da praia de sua angústia, um símbolo de que deixaria ali o seu luto.

"Adeus, filho de YHWH."

Ela subiu no cavalo, ele não resistiu:

"Entrego minha vida agora, Deus o sabe, para saber o seu nome."

Ela sorriu enquanto cobria a cabeça com um lenço:

"Dalila."

Meu coração sitiado
Nesse dia, no agora e no amanhã
Meu coração não mais me pertence
Ao som da voz dele reencontrei alento
E na cor do seu sorriso um novo destino
Ao qual eu me entrego
O qual eu acharei de novo
Farei a alma do meu pai descansar
Trarei alívio ao meu povo
Depois da minha vingança voltarei a ser Dalila
Enterrarei meu ódio, serei doçura
Ele virá me encontrar
Seremos futuro
Seremos paz
Meu coração não mais me pertence
Mas seguro o dele em meu peito
Em breve juntos e para sempre

Dalila voltou para o litoral, convencida de fazer um plano para se vingar do homem que matou o seu pai. O conselho dos anciãos se reunia com os líderes dos filisteus às portas do templo de Dagon. Havia passado algum tempo da terrível matança em Ramate-Leí.

"Por quarenta anos os deuses entregaram os israelitas nas nossas mãos. Eles quebraram o pacto com o deus deles e estavam sujeitos ao nosso domínio. Convivemos com o clã de Dã, e eles se casaram com nossas filhas. E agora mil dos nossos melhores soldados não podem resistir a um homem. Precisamos descobrir o segredo da força de Sansão, filho de Manoá."

No meio da reunião Dalila se apresentou. Ela estava vestida com a armadura do exército da Filístia; trazia um discurso de vingança que atiçou o coração de todos os anciãos. Atrás dela, homens do exército empunhavam suas espadas, assim como o pai de Dalila fazia.

"Nós matamos Saul e os filhos de Saul, conquistamos o Vale de Jezreel e Gilboa. Dominamos nossos inimigos por anos. Dagon é conosco, Baal-Zebub e Astarote. Vamos atar nossos inimigos e conquistá-los mais uma vez como fizemos no passado."
"Pela Filístia!"

Os líderes gritavam e batiam os pés no chão, com o coração cheio de ódio e paixão. *"Coragem, fidelidade e honra!"*, eles berravam sem parar. Por mais que quisessem, os anciãos não concederam um ataque a Israel. Com esse homem à solta eles não teriam chance de vitória.

Semanas se passaram e tudo parecia sem esperança para os filisteus. Como resposta às preces, e como milagre inesperado, Sansão em pessoa chega às portas da cidade, procurando Dalila, a mulher a quem havia entregado o seu coração.

Um soco no estômago, uma faca no coração foi o momento em que Dalila descobriu a verdadeira identidade do homem por quem se apaixonou. Sansão, o assassino de seu pai. Ela guardou em silêncio todas essas coisas e concordou com o plano dos líderes dos filisteus. Dalila usaria a paixão de Sansão por ela para descobrir o segredo da grande força que ele tinha. E então eles o matariam e voltariam a subduzir Israel.

"Cada um de nós te dará treze quilos de prata", disseram os líderes à Dalila.
"Não me importo com prata, faço pelo meu pai e pela Filístia."

Não quero mais viver
Minha boca se faz veneno
Mata a única vida que ainda tenho

Meu destino é o meu amor
Meu amor que me massacra
Ele me beija o melhor beijo
Ele me chama de "para sempre"
Nem ódio consigo achar
Nem tenho mais coração
Entreguei a ele
Nem tenho mais alma
Entreguei à Filístia
Luto se fez meu destino
Ele me tem em suas mãos
Mas sou eu quem seguro
Se for pra morrer pelo meu povo
Que eu morra com Sansão

Sansão olhava com fascínio em seus olhos. Ele falava coisas bonitas e prometia que daria a vida dele para ter esse amor por toda a eternidade. Dentro dela o coração batendo forte, perdia o ar, tanto nervosismo... Mas ser egoísta não era uma opção. *"Pela Filístia"*, ela sussurrou baixinho. *"Coragem, fidelidade e honra"*, ela dizia para si mesma.

Foi assim que Dalila tornara-se a heroína da Filístia. Histórias sobre sua bravura e lealdade foram contadas de geração a geração dos povos filisteus. Traindo seu coração, olhando nos olhos do único homem por quem se apaixonara, ela proferiu as palavras amargas e aflitas que definiram seu destino e o destino de Sansão.

"Conte-me, por favor, de onde vem sua grande força?"

A história de DALILA está registrada a partir do capítulo 16 do livro de Juízes. Seu nome pode significar "dócil" e "frágil", mas com uma conotação mórbida e lânguida.

Rute

por Luiza Nazareth

A ALEGRIA DE vê-lo em seu colo só não se compara com a alegria de vê-la sorrindo novamente. Sorriso que lhe era tão marcante antes da vida lhe tirar o chão. Quem diria que um filho meu traria a esperança de volta à vida dela?

Eu me lembro bem da sua voz embargada e dos seus olhos opacos me dizendo para dar meia-volta e voltar à casa da minha família de origem. É claro que eu estava triste também, havia perdido meu marido e meu futuro, mas de alguma forma eu não havia perdido a fé. Fé que eu sabia que ainda estava dentro dela, mas que dividia espaço com o amargor em um coração que se desiludiu e perdeu a esperança. Fé que ela mesma havia me passado, ao longo das inúmeras pequenas conversas ao longo dos dias que estivemos juntas.

Ela me acolheu como mãe quando me casei com seu filho... Em meio à lavagem de roupas à beira do rio, ela mesma havia me contado como fomos criadas por Ele e as maravilhas que Ele havia feito para libertar seu povo do deserto, inclusive fazê-los atravessar um mar sem se molharem.

Enquanto colhíamos os primeiros frutos da colheita, me lembro dela cantando salmos e dando graças a Ele. Lembro do seu sorriso que destilava a bondade do Criador em tudo que ela fazia. Aos poucos, sem ela nem mesmo perceber, a sua fé havia se tornado a minha fé, o seu Deus havia se tornado o meu

Deus, ela havia se tornado minha família, mais do que aquelas pessoas que me deram à luz.

"Aonde fores, eu irei."

Ele nos fez sorrir novamente. O fruto do meu ventre me trouxe redenção. Quando olho para tudo o que aconteceu, as espigas de milho nas beiradas do caminho, a proteção do Eterno e a bondade de Boaz... Ah, quem diria que eu iria colher espigas justamente nos campos do resgatador da família dela? Quem diria que Boaz teria olhos tão bondosos e compassivos para comigo e me resgatar? Logo eu, uma viúva estrangeira. Assim como o Eterno guiou seu povo até a Terra Prometida, ele me guiou até os campos de Boaz. Da mesma forma que Ele fez cair maná do céu, Ele nos alimentou com sua misericórdia. Assim como Ele fez jorrar água de pedras no deserto, Ele fez nascer amor por mim no coração de Boaz.

A alegria de vê-lo em seu colo só não se compara com a alegria de vê-la sorrindo novamente. Quem diria que um filho meu traria esperança de volta à vida dela? Quem diria que Ele sorriria para mim e me daria uma nova chance de fazer parte do seu povo. Meu pequeno filho Obede, passarei minha vida te contando como Ele foi bom para comigo e sua avó. Que a bondade e a fidelidade Dele o acompanhem todos os dias da sua vida e que nossa família possa ser estandarte da misericórdia e do amor Dele para todo aquele que Nele escolhe crer.

RUTE *significa "amiga", "companheira". Após ficar viúva, ela migra com sua sogra Noémi para as terras de origem desta. Lá conhece e se casa com Boaz, tornando-se bisavó do rei Davi. Há um livro das Escrituras com seu nome.*

Salmo de Noemi

por **Leane Barros**

A AMARGURA SE entrelaçou forte em minha alma, a ponto de fazer parte das minhas entranhas.

O Senhor Deus me retirou o favor.

O sentido de ser quem sou foi à cova junto com meu marido e meus filhos.

Não havia mais frutos a dar, pois a mão do Senhor se descarregou sobre mim.

Minha jornada se reduziu a nada no alto de minha velhice.

A fome e a dor são minhas companheiras constantes.

Alegria, abundância e abrigo se tornaram distantes de mim.

Inalcançável foram a paz e o descanso.

Quis Deus me provar sem tréguas, me tornando vazia.

Agradável e suave não mais seria; amargura é o meu colar e meu nome.

Melhor fora que se afastasse as filhas que ganhei, que se dispersem.

Não tenho o que oferecer hoje e não terei no futuro.

Tudo se foi, me restam cansaço e fardo.

Em meio às espigas Deus faz surgir a restituição.

Da parentela de homens valentes e poderosos,

Da beleza e do serviço o Senhor trouxe uma nova aliança que nos restaurou a esperança.
Achada em graça diante de Seus olhos fomos.
Não mais seremos desamparadas em sua terra.

Todo perfeito consolo vem do Senhor! Glórias a Ele eternamente.
Bendito seja Deus que nos permite achegar-nos.
Ele afasta de nós a pobreza da alma enquanto nos dá pão e trigo tostado em abundância
Louvado seja o Deus que honrou nossas virtudes e criou um caminho aos seus pés para que fôssemos protegidas e guiadas.
Misericordioso é o Senhor, bendito e sempre eterno em força, graça e poder.
Renovada fui em minha velhice.
Todas as minhas gerações te louvem
Que de nosso ventre redimido venha a salvação de todas as nações.
Que nossos lábios não cessem de proclamar o favor do Senhor e que todos saibam como de águas amargas ele fez brotar doçura novamente.
Bendito e grande é o Senhor por trazer leveza onde não havia e mudar para sempre o destino de suas servas.
Bendito seja Deus que honra e zela por suas mulheres.
Glória, honra e louvor, eternamente! Amém!

NOEMI carrega no seu nome características de benquerença, amor, amizade e afeto. Foi esposa de Elimeleque e sogra de Rute e Orfã. Todas as menções a ela nas Escrituras são feitas no livro de Rute.

É tanto

por **Leane Barros**

DÓI TANTO!
CADA LÁGRIMA DESCE
quente pelo meu rosto e
molha meu peito afundado
em tristeza.

DÓI...
ESTOU EM PLENO
desassossego.

DÓI EM DEMASIA.
EU JÁ PERDI TANTAS VEZES
QUE NEM SEI A CONTA,
ACHEI que não teria MAIS
COM O que inundar meus
OLHOS.

MEU PAR.
MEU LAR.
MINHA FIRMEZA.
A CAPACIDADE DE esperar.

DOÍ MUITO...
E É PRECISO respirar,
decidir.
AUSÊNCIAS, CARÊNCIAS,
CANSAÇOS, laços, lugares,
futuro.

DÓI.
AS FORÇAS SE ESVAÍRAM E
ME DEIXARAM REPLETA DE
"AIS".
DE PERGUNTAS, DE VÁRIOS
"NÃO SEI",
DE "POR ONDE E PORQUÊS".
TODAS ESSAS COISAS ME
SOBRAM DEMAIS.

MEU CORAÇÃO ESTÁ EM
FRANGALHOS DEPOIS DE
GOLPES PROFUNDOS.
NÃO FOI,
E NÃO É ASSIM TÃO FÁCIL.
E ME PEGO aqui, tentando
juntar os pedaços de mais
uma despedida.

HAVERÁ ALGUÉM POR
mim?
AGORA? AQUI? ASSIM?
MAIS UMA VEZ? Depois?
Lá?
SERÁ QUE HAVERÁ?

– ORFA –

NESSE APERTO DO peito.
NESSE SOLUÇO SEM fim.
NA IRMÃ E mãe que deixei.
NA FOME QUE conheci.

NA PROTEÇÃO QUE a morte levou.
NA INCERTEZA DO que está por vir.
NAS COISAS QUE AINDA NÃO SEI E NÃO ENTENDO

NO SOLUÇO QUE não cessa.
NO MEDO DO que escolhi.

E SE NÃO der para voltar atrás, como que faz pra sair?
EU VOU AGUENTAR!
EU VOU? SERÁ?

NÃO É SÓ virar e dar as costas.
AINDA TEM O prosseguir.

E DÓI.
DÓI TANTO! TANTO...
DÓI...
DOÍ EM DEMASIA...DEMASIA

DÓI...
DÓI MUITO...MUITO!
DOÍ...

UMA DOR QUE não para!

QUE CONSOME E perturba.

EU SÓ QUERIA um lugar para descansar.
BEBER GOLES DE paz na sombra da graça de um Deus que ouvia Noemi falar.
LEVANTO MEU CORPO, suspendo meu copo vazio na esperança de transbordar
E REPITO PARA mim:

A dor, Orfa, não vai parar!
Ainda assim, Orfa, vai,
levanta, prossegue, caminha,
aprende a esperar e assim:
recomeçar!

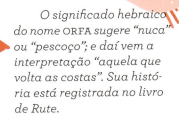

O significado hebraico do nome ORFA *sugere "nuca" ou "pescoço"; e daí vem a interpretação "aquela que volta as costas". Sua história está registrada no livro de Rute.*

119

De Ana para Penina

por **Leane Barros**

PENINA,

Não é nosso costume conversar e trocar cartas. Ainda assim, te peço por favor que leia até o final.

Agora tem um bebê na minha barriga e tudo dentro de mim muda constantemente (você sabe bem o que é isso). Não tem como não rever minha postura diante da vida, rever a minha fé. Essa criança é um presente de Deus, é Dele e para Ele vai. Meu coração parece que vai explodir de tanta gratidão e alegria por ter minhas orações atendidas. Graça maior não poderia ter alcançado.

Sou uma geradora de vida, agraciada por Deus, ventre farto, mulher, esposa...mãe! Confesso, porém, que por vezes ainda choro, e é de tristeza, por isso estou aqui a te escrever. Me perdoe por não tocar nesse assunto de outra forma; é o que consigo no momento e já não posso mais guardar.

Por muito tempo carreguei uma dor imensa. Eu era uma mulher incapaz de gerar, de exercer meu papel plenamente: envergonhada, frustrada, sem sentido. Minha dor, por vezes, foi agravada pela sua rispidez, pelas palavras duras e cruéis que disse ao me caçoar por anos... Às vezes elas ainda ecoam aqui dentro.

Deus sabe, não sou perfeita! Quando me percebi grávida, me senti tentada a ir revidar-lhe as afrontas, mesmo que fosse apenas com o anúncio em tom de "venci". Não o fiz, e não tem por que. Apesar de ter sido breve o pensamento, não me orgulho dele.

Nunca compreendi bem o porquê de ataques tão severos. Por vezes me pus a pensar que coisa tão terrível teria feito para ser tão humilhada. Já não me bastava o ventre seco? Ano após ano era punida por algo que não havia feito.

– ANA –

Sei da atenção especial de Elcana por mim, mas, veja bem, nada lhe faltou, e nosso marido é apenas um homem bom a cuidar de suas esposas, e eu era a parte mais frágil. Que mal havia? Não vou negar, Penina, foi muito difícil suportar suas investidas incessantes contra mim.

Hoje te entendo mais como mulher, esposa, mãe. Percebi que, assim como eu sofria, você também sofria. Afinal, o que mais seria preciso fazer para ter a atenção do seu marido? Já não bastava a ele os filhos que lhe deu? Ainda não era suficiente? Por que ele ainda demonstrava amor maior por aquela de ventre seco que não lhe daria descendentes?

Venho aqui para te dizer que a gravidez me fez ver coisas que não enxergava. Assim como eu, você carregava dor, frustração, tristeza da rejeição, medo, vergonha. Talvez neste momento tudo isso ainda seja maior, pois meu ventre que era seco agora gera vida. Me pego a pensar nas dores que minha alegria pode te causar nesse momento. Sinto muito!

Eu venho aqui não só para expor feridas e falar da compaixão que agora tenho por você. Venho também para dizer da minha esperança.

Penina, Deus ouviu meu clamor, fez um ventre seco brotar vida. Todo choro foi revertido em canto de alegria, as dores se dissiparam, a vergonha acabou. Que poder imenso Deus tem!

Minha esperança é que Ele faça um milagre outra vez, agora dentro de você, entre nós. Que Ele gere vida na nossa relação, que cure as feridas que uma pode ter causado à outra mesmo sem querer, e às vezes querendo; que Ele derrame seu perdão e graça sobre nós, que transforme a nossa história, que a rivalidade se transforme em amizade, que possamos juntas contar as maravilhas de Deus aos nossos filhos.

Quero aprender com você o que sabe sobre maternidade.
Quero te ensinar o que sei sobre paciência e graça.
Quero que você faça parte da minha história de outra forma, e quero deixar boas marcas na sua.

Você pode pensar que tudo isso que estou dizendo é impossível, ingênuo talvez.
Não, Penina, não é! Não há impossíveis para Deus.
Os chutes no meu ventre me revelam isso.

Por isso, quero dizer de modo claro: Penina, te perdoo. Me perdoe também!
Aceita ser minha amiga e deixar que Deus reescreva nossas histórias?

Com esperança no poder de Deus,
Ana.

ANA aparece no primeiro capítulo do primeiro livro de Samuel. Seu nome quer dizer "graciosa" ou "cheia de graça", e é ligado aos verbetes "favor" e "clemência".

De pérola a goteira

por Elisa Cerqueira

NA VIDA OU você encontra o seu destino, ou o destino te encontra. Na minha história o destino me encontrou. O meu caminho não seria um caminho belo. No meu destino a única maneira de me tornar uma heroína seria me tornando a vilã.

Primeiro Ana

Ela era linda, livre, amada por seu marido. Vivia uma vida confortável. Apesar de não ter filhos, recebia amor e presentes que nenhuma outra mulher havia experimentado.

Seu marido a honrava constantemente e passava muito tempo com ela. Ana não se importava muito com o fato de não ter filhos. Como poderia haver uma mulher que não se sentia humilhada por não ter filhos? Muito estranho. Quando a conheci, senti um certo desconforto com a liberdade que ela apresentava. Ela era confiante de si e, sim, livre! Desconforto, e também uma certa admiração.

Aqui nesta casa há uma regra que ninguém fala em voz alta, mas que todos sabemos muito bem: primeiro Ana, depois nós, os outros.

Elcana

Um grande líder entre os líderes de seu povo. Um homem bondoso, diligente, que ama YHWH. Essa é melhor descrição para Elcana.

Quando viu que o Senhor, YHWH, a tinha deixado estéril, ele foi em busca de uma esposa que daria continuidade à seu nome e sua família. Eu fui essa esposa. A segunda escolha.

Meu nome é Penina

Minha mãe teve muitos filhos, mas somente uma filha, eu, a caçula. Fui chamada "Pérola".

Sempre imaginei como meu lar seria. Eu, meu marido, muitos filhos e uma vinha. Não sei porque uma vinha, soava romântico.

Não foi bem isso o que aconteceu. Eu só entrei nessa história e nesse casamento porque ele precisava de uma esposa que lhe desse filhos, para começo de conversa. Mas não tinha do que reclamar. Elcana era um bom marido; suspeito de que ele não me ame de verdade, mas não por nada que ele faça, pelo contrário. Ele faz tudo por mim e pelos nossos filhos. E tem Ana, que recebe tudo em dobro, mas a pobrezinha não tem filhos — não que ela pareça se importar com isso.

"O filho"

Um dia um sonho me deixou desaquietada. Foi assim: Ana estava dormindo e uma voz a chamava três vezes, mas ela não acordava. "Ana", a voz continuava. "Ana!". De repente um homem aparecia na minha frente. Ele era velho e falava como um homem do Senhor dos exércitos. Ele olhou para mim e falou: "Não a deixe dormir, pois eu sou o filho que dela nascerá. O plano do Senhor, YHWH será estabelecido na terra. As orações de Ana, minha mãe, são parte desse plano. Não a deixe dormir."

Eu acordei assustada. Foi tudo muito esquisito, mas alguma coisa dentro de mim soube: Ana teria um filho, e esse filho seria um grande homem usado pelo Senhor, YHWH.

Nas próximas semanas eu observei Ana e Elcana. Estava esperando alguma coisa acontecer, uma mudança, mas ninguém falou nada. Nada sobre um filho, nada sobre um sonho. Tudo continuava igual.

Um chamado estranho

Passados alguns meses, me veio aquela imagem novamente: o velho dizendo para eu não a deixar dormir. "O que tenho eu com isso, Senhor?"

Foi então que o sofrimento começou. Eu entendi o meu lugar nessa história. Eu deveria tirar Ana do sossego da vida confortável que levava. Teria que levantá-la do sono em que estava enterrada. O filho dela seria um grande homem. Ele me disse no sonho que ela teria que orar ao Senhor, pedir um milagre, pedir por um filho.

Meu destino veio me encontrar, e não era uma vida em paz com meu marido e filhos à sombra de nossas vinhas. Logo eu? Eu que deveria ser pérola em minha família! Meu destino era um caminho de espinhos; eu me tornaria um espinho também.

"Amanhã subiremos a Siló para adorar e sacrificar ao Senhor dos Exércitos", anunciou Elcana a toda sua casa e seus servos.

Esse era o meu sinal, começaria ali o meu grande chamado. Estava com medo. E se eu estivesse errada? E como eu seria lembrada pelas gerações? Como contariam a minha história? Serei a inimiga, a perturbadora, a rival. Uma onda de terror me submergiu em escuridão. Desisti daquela loucura, mas então um terror ainda mais horrendo me sobreveio.

Preciso me tornar aquela que levaria Ana quase à beira da loucura. Não importa o custo, ela precisa ficar desesperada por um filho.

Sim, não havia outro jeito, esse era o meu destino, meu lugar no enredo. Eu me tornaria uma vilã, para que os "planos do Senhor fossem estabelecidos na terra."

Então, percebi que o caos tira a paz do sono, e das tempestades surge o arco da aliança. E quem sabe pode-se dizer que um vilão foi um herói. Herói para um só, o herói.

Meu destino era ser vilã, pois, neste mundo, às vezes, um herói só nasce quando um vilão emerge.

PENINA *tem sua história registrada no primeiro livro do profeta Samuel. Seu nome quer dizer "pérola" e também "pedra preciosa".*

Cordel nada encantado

por **Débora Otoni**

SOU PRINCESA, mas não se engane
Este não é um conto de fadas
É um cordel nada encantado
De uma moça com a vida embolada
Fui colocada como prêmio
Pra quem em Golias desse pedrada

Meu pai tinha um ciúme arretado
Daquele ruivo com cheiro de ovelhas
Quando o pai ficava muito irritado
Chamava o moço para lhe acalmar as orelhas
E se a raiva era mais forte que as notas
Ele queria jogar Davi pelas telhas

Tive um plano, vi uma janela
Coloquei meu amor no balaio
Nos despedimos com uma reza
E ele correu como um lacaio
Até que Saul descobriu o meu plano
Me deu pra outro de soslaio

Se passaram quatorze anos
Quem é que veio me buscar?
Foi o tocador de harpa
Que vez ou outra se punha a dançar
Agora que ele já era rei
Era melhor aprender a se comportar

Eu não era a única rainha da casa
Mas era a única de sangue real
Achei que era o meu lugar
Ensinar Davi a ser o tal
Falei fora de hora, azar
Pelo menos achei que fui leal

Deixei a amargura secar meu ventre
Por fim não terei posteridade
Toda vez que eu ficava da janela
A desgraça vinha de verdade
Se eu olhasse mais pra dentro
Teria um conto de felicidade

MICAL, *filha do rei Saul, foi prometida pelo pai a quem vencesse os filisteus. Por causa disso tornou-se esposa de Davi, que mais tarde se tornaria rei de Israel. O registro de sua história está nos livros do profeta Samuel.*

por **Gabriela Saadi**

VIVI POR MUITOS anos debaixo do mesmo teto de um homem com a personalidade oposta à minha. Mais do que sangue correndo nas veias, meu esposo tinha sangue nos olhos. Enquanto Nabal estufava o peito e colocava nossa família em risco, enfrentando de forma insensata qualquer criatura, era minha missão apaziguar toda e qualquer situação desastrosa que chegava até nós por consequência das suas loucuras.

Todavia, não houve qualquer coisa que eu pudesse fazer que levasse meu marido a ter um encontro com o Senhor. Ele viu de perto a fidelidade e o cuidado de Deus na minha vida, mas simplesmente não O quis provar (como criança que diz não gostar de jiló sem nunca ter experimentado).

Presenciei o machismo extremo que tomava conta dos homens — e das mulheres, diga-se de passagem — de leste a oeste, e não foi isso que me parou. Mesmo sendo mulher, eu fui notada, ou melhor, minhas escolhas se estendiam a muitos ao meu redor, meu testemunho chegava aos da rua. Era vista com admiração por aqueles que ouviam falar meu nome; logo o associavam à mulher que se casou com o homem mais insensato de Maim e que, por vestir a camisa de sua família, não só enfrentava as encrencas com sabedoria como também desfazia cada uma delas.

Ele era mau, mas ainda assim era meu marido, e por ele fiz e desfiz todas as coisas que estavam ao meu alcance, pois conhecia o Deus vivo, o Deus da paz. Meu desejo de ver Nabal aos pés do Senhor alimentava minha esperança, mesmo com uma realidade aparentemente irreversível de um homem alcoólatra, maluco, estourado, impetuoso, ruim com todos e consigo mesmo.

O tempo não foi o seu remédio! Seu coração de tão duro virou pedra; lá dentro cabiam apenas a estupidez e todo o seu dinheiro, morto por dentro. Um pouco antes de partir, Nabal escolheu uma briga errada.

Um pouco antes de Davi e seus soldados se aproximarem de Nabal para pedir socorro, haviam ajudado a proteger nossa fazenda contra o atentado planejado por Saul e seu exército. Mas para Nabal isso não foi nada, não gerou dentro do seu peito gratidão pelo bem recebido. Então, o rei, que um dia lhe estendeu a mão, a teve friamente negada. Davi e seus homens encontravam grandes dificuldades para se alimentar, corriam risco de morte. Todavia Nabal já estava morto por dentro.

Com deboche e insultos colocou o que ele chamava de "pedintes" para correr em direção às suas espadas que os traiam de volta. A vingança era o único meio de colocar um ponto final nessa história e o sangue de lavar a terra. Fruto dessa situação mal resolvida, surge um encontro inesperado que mudaria para sempre minha história e a de mais de quatrocentos homens. Enquanto ele nega e desafia, eu penso e entro em ação. Decidi me desculpar pela ingratidão do meu marido.

Primeiro clamei ao Senhor para que poupasse minha casa e o sangue inocente que seria derramado. Depois me prostrei aos pés de um homem poderoso com pedidos de desculpas e misericórdia. Davi era o nome dele. Além de ter um bom coração, também era servo de Deus e por Ele foi impedido de fazer o mal que planejou.

Tive a visão de ir até ele; em seguida, a coragem de concretizar o planejado. Se eu não tivesse corrido esse risco, seria, de fato, uma mulher em anonimato. Meu nome passaria despercebido, minhas boas intenções seriam comigo sepultadas naquele mesmo dia. Não ganhei o prêmio Nobel da Paz, mas meu prêmio é ter minha história registrada em páginas sagradas e servir de legado para mulheres do mundo inteiro que vivem histórias iguais ou mais desafiadoras que a minha.

Enfim, meu lar se torna doce, com o sentimento de dever cumprido. Nabal se foi. Só não podia imaginar que, ao ficar viúva, me tornaria mulher do rei Davi. Recebo como herança o privilégio de ser mãe; me entrego por inteiro à experiência de influenciar meu menino e levá-lo ao Eterno.

Meu filho ganhou o nome da minha história, *"Deus é a minha justiça"*. Foi Javé quem me defendeu, quem lutou as minhas causas, quem julgou a minha causa, que viu meu coração. A minha sentença vem do EU SOU, e olhar para Daniel me lembra disso todos os dias. Por isso, posso agir na paz e pela paz.

Contei a você pedaços de uma história que é inteira. Pode ser que sua história se entrelace com a minha no sofrer ou na vitória. Talvez você não tenha experimentado viver a felicidade plena ainda simplesmente porque ela não existe.

A satisfação de ter uma vida com prazer pode ser encontrada na decisão de confiar num Deus que não falha e que ama com amor de Pai — não qualquer pai, mas o que não abandona nem esquece sua filha, sua menina. Jesus me enxergou desde o início, no ventre da minha mãe, e seguiu comigo até aqui.

A Ele toda honra!

ABIGAIL significa "alegria de meu pai". Foi casada com um rico e temperamental fazendeiro chamado Nabal. Sua história pode ser encontrada em 1Samuel 25.

Os filhos de Zeruia

por **Leane Barros**

"Embora eu seja o rei escolhido por Deus, hoje me sinto fraco. Os filhos de Zeruia são homens violentos demais para mim! Que o Senhor castigue esses criminosos como eles merecem" (2Samuel 3:39)

DAVI E MEUS filhos cresceram juntos. Eu já estava na terra a algum tempo quando Davi veio ao mundo pela linhagem de Jessé (que dê certa forma também é meu pai).

Do meu ventre só saiu homem de temperamento forte... Joabe então nem se fala, parece um trator. Impetuoso, parece não ter medo de nada, detesta injustiça e impunidade. Eu sempre tinha que dizer *"Meu filho, tenha domínio próprio, pense um pouco mais antes de agir, evite tomar tantas decisões no calor das emoções", mas quem* disse que ele me ouvia? Ele é o tal de sangue nos olhos que dizem por aí. Age primeiro, pensa depois! Os outros dois iam no mesmo caminho de valentia e intrepidez.

Sempre foi comum citar meu nome ao se referir aos meninos: *"Joabe, Abisai e Asael cuja mãe era Zeruia"*. Isso era até gostoso de ouvir por um bom tempo.

Quem diria que um dia Davi se tornaria rei e que meus filhos fariam parte de seu exército. Eles amavam e eram leais a Davi. Se tornaram bravos guerreiros, sempre dispostos a lutar e proteger o rei incondicionalmente.

Por mais que a gente creia em Deus, não tem como não ter a alma aflita quando seus filhos participam de todas as guerras (ou iniciam algumas).

Já faz um tempo que o pai dos meninos foi enterrado em Belém, que falta me faz! Ter três marmanjos de coragem exagerada ficou ainda mais difícil. Depois mataram Asael (em batalha). *Taí* uma coisa que não desejo para ninguém, mãe nenhuma deveria enterrar filho, dói demais e por mais que eu soubesse que toda ida para guerra poderia ser a última vez a vê-los, o coração nunca está preparado para isso.

Depois da morte de Asael, os ânimos, principalmente de Joabe, ficaram indomáveis. A valentia se vestiu de vingança e a vingança é cega.

"Os filhos de Zeruia são violentos demais para mim". Essa frase não saía da minha cabeça. O rei tinha dito que meus filhos eram criminosos e violentos demais. É de Davi que estou falando, um homem que enfrentou um gigante, matou urso e leões, o mais temível nas batalhas. Ele não aguentava meus filhos.

A partir daí, o *"cuja mãe era Zeruia"* soava diferente para mim, pois era como se eu tivesse feito alguma coisa errada. Sabe quando alguém vê uma criança em descontrole emocional por algum motivo e logo já grita *"cadê a mãe dessa criança?"*, *"não tem mãe não?"*, *"também com uma mãe dessas..."*, *"sabia que a mãe deles é Zeruia, a irmã do rei? tsc tsc tsc"*. Que peso, que vergonha, que inútil eu me sentia!

Dava uma pontada no coração cada vez que ouvia citarem meu nome ao falar dos meus filhos, e isso não tinha a ver apenas com minha reputação. Meus meninos foram chamados de violentos e criminosos. Nenhuma mãe põe filho no mundo para ouvir uma coisa dessa.

As batalhas de uma mãe são, na maioria das vezes, de maneira silenciosa. Solitária. A gente faz o que é possível e deseja de todo coração que tudo vá bem, que nossos filhos trilhem o caminho da paz e é um desafio descansar crendo que tudo isso não tem a ver conosco. Gerar, educar e direcionar é um ato de fé e fé tem a ver com Deus.

Somos uma família de corajosos e foi com essa coragem que me pus a prantear diante do Deus de Israel para que me livrasse do gosto amargo de ver meus filhos de valentes se tornarem sanguinários e que domasse seus corações e ações.

E Deus veio. Me lembrando do que eu não podia esquecer. Deus estava cuidando de meus filhos, de Davi e de mim. Deus cuidou e me curou da minha equivocada sensação de que a culpa era minha, me fez lembrar que no meu ventre ele fez surgir aqueles que defendem o rei custe o que custar e que reduzí-los a uma fase da história era cruel com eles e cruel comigo também. Me fez entender que o controle sobre o que acontece e acontecerá nunca foi meu, que não deveria por um peso maior sobre mim que Ele mesmo não atribuiu, que poderia ser livre em viver a maternidade descansando em sua graça e favor. Isso me foi um bálsamo.

A gente (principalmente nós mulheres e nós mães) não deveríamos esquecer de nada disso.

Agora livre de culpa digo...

Joabe, Abisai e Asael, homens fortes, valentes, bravos guerreiros, impetuosos, que não desistem e não tem medo de nada, protetores incondicionais do rei, contados entre os 30 mais temidos e poderosos do exército, de gênios difíceis, obstinados, que odeiam injustiça e impunidade, que se tornaram violentos, que deixam o coração de quem os ama na mão durante a batalha, que obedeceram ao chamado do rei e igualmente desobedeceram algumas ordens, que erraram muito e que acertam muito, que cooperaram para que Israel triunfasse em muitas batalhas, cuidados por Deus, CUJA MÃE É ZERUIA.

E sou Zeruia, cujo pai é Deus.

A sétima filha

por **Ana Elisa Staut**

ESTOU ME AFOGANDO.

Não tenho força, não tenho coragem, não tenho razão.

Estou caindo e caindo e atingindo um mar sem fim de sombras frias e escuridão.

Minhas lágrimas secaram.

Minha garganta está seca e ferida dos gritos.

Intermináveis gritos.

Ele se foi. Meu filho.

Ainda posso sentir seu pequeno corpo em meus braços.

O calor e a vivacidade.

Posso ver seus olhos brilhantes e atenciosos.

Ele se foi. Uma parte de mim se foi.

Estou me afogando nas ondas.

Não posso me mexer, meus membros não mais me obedecem.

Sou escrava de uma mente destroçada, lambendo migalhas no chão imundo. Cavei o sepulcro que está prestes a me engolir.

Bate-Seba era meu nome. Adúltera. Traidora. Mãe de uma criança morta.

Meu marido era Urias, soldado que combatia na guerra, enquanto seu rei se deleitava. Urias era meu marido. Pequei contra ele, contra Deus.

Sou esposa de Davi, o grande rei de Israel. Esposa melancólica que se acovarda em um quarto escuro, flagelando a própria mente pelos horrores que cometeu.

A culpa é minha, e minha, e minha, e meu filho está morto.
Há castigo maior para uma mulher que seu recém-nascido sem vida?
O caos pulsa em minha pele e sou capaz de jurar que a tristeza se tornou sólida e flui onde deveria correr meu sangue.
Há sangue em minhas mãos, minhas pernas, escorrendo por meus ossos, e sou dor pura.

Há maior punição para uma mãe pelos pecados que praticou?
Sou fogo e queimo. Sou gelo e congelo.
Enterro as unhas longas em minha palma.
As almofadas estão destruídas, penas de aves espalhadas pelo chão.
As cortinas estiradas, as frutas amassadas, os vasos de mármore quebrados.

Tenha misericórdia, Senhor. Tenha misericórdia de mim.
Passos fortes e firmes surgem. Sei de quem são, sei e não me importo.
Foi ele que me procurou.
Ele que me chamou ao palácio e condenou Urias à morte.

Davi está diante de mim. O rei está beijando meus pés.
Tento não me encolher sob seu toque e falho miseravelmente.
Tento não odiá-lo, e sou perseguida pelo ódio que direciono ao meu coração.
Seus olhos estão vermelhos, a face magra e doente.
Não fui a única a perder um filho.

Davi jejuou e lamentou, implorou por piedade até os joelhos se esfolarem nas rochas pontiagudas.
E, ainda assim, quero me rebelar.

Quero me afastar e me enterrar na areia morna que chamo de solidão.

Meu marido compreende.

É um reflexo da culpa que me consome.

Não há coroa em sua cabeça, ouro em seus dedos, medalhões em seu pescoço.

Só agonia de um homem que reconhece a carne putrefata que cobre seu corpo.

A carniça atraindo urubus no deserto da perversão.

Somos cruéis.

Ele está perto o suficiente para que eu sinta sua respiração.

Para que eu sinta o sal em seu rosto, como cascata que deságua sem controle.

"Lamento", é o que diz.

A melúria ouvida por todos os cantos de Israel.

"Perdão", é o que sussurra.

Engasgo com o sabor bárbaro do vômito.

Davi me segura, as mãos firmes em meu corpo enquanto me sustenta, enquanto afasta meus cabelos do rosto e limpa minha face.

Atormentada, anseio pelo alívio.

Suas palavras são alívio.

Sou consolada.

BATE-SEBA *ou* BETSEBÁ, *significa, literalmente, "filha de sete anos" ou "filha do ajuste". Aparece nas Escrituras no segundo livro do profeta Samuel. A Bíblia diz que ela era muito bela.*

Tamar

por **Yule Matos**

OLÁ, TUDO BEM com você?!

Vou te contar uma história triste de alguém que já sofreu bastante. Seja bem-vinda à minha vida! Decidi escrever sobre o que me aconteceu para, quem sabe, te ajudar de alguma forma.

Você já se perguntou o porquê de alguma coisa ruim, que você não merecia, ter acontecido com você? Logo com você que sempre foi uma pessoa boa, que nunca fez mal a ninguém, que sempre se esforçou para dar o melhor de si em tudo?! Pois é, essa sou eu e essa é a pergunta da minha vida.

Eu sempre fiz tudo certo. Sempre amei o Senhor, sempre guardei Seus mandamentos... fui ensinada assim pelo meu pai. Eu, filha do rei, sempre me vesti com modéstia, não levava uma vida desregrada, nunca ficava sozinha com rapazes, sempre observei minha conduta, sempre fiz tudo certinho. Também sempre confiei que, por ser filha de quem era, eu estava bem guardada, livre da maioria dos perigos a que qualquer mulher da minha idade está sujeita.

Talvez eu tenha confiado demais nos meus privilégios e na minha modéstia. Talvez eu tenha acreditado que seguir as regras bastasse.

Ser filha do rei sempre me garantiu regalias, servos, comida com fartura e muita felicidade. Sempre fomos uma família feliz. Quando penso nisso, lembro de que éramos uma família antes de tudo acontecer.

Prazer, meu nome é Tamar. Filha do grande rei Davi; minha mãe é Maaca, a quinta esposa do rei. Tenho muitos irmãos. Os mais próximos deles são Absalão e... *ainda me dói dizer esse nome, come se rasgasse minha alma, arranhasse minha garganta...* Amnon. AI! Há quanto tempo esse nome não saía da minha boca.

Esse nome, esse homem, esse meu irmão...

Por muitos anos significou o fim da minha vida, o fim da minha história, até eu entender que ninguém tem poder de colocar um fim nela a não ser o meu Deus.

Nunca houve diferença entre nós por não sermos filhos da mesma mãe, pelo menos não que eu percebesse. Eu sempre tratei todos com igual importância. Fui carinhosa, amorosa e serva, porque, enfim, eram meus irmãos. Como eu imaginaria que um dia, um deles faria o que fez? Como eu poderia imaginar que estaria suscitando algum desejo nele? Como?! Isso é tão absurdo! Nunca sequer passou nada parecido pela minha cabeça.

Nós saíamos juntos, os três. Tomávamos banho de rio, andávamos a cavalo, nos divertíamos como irmãos se divertem. Logo que aconteceu, eu me perguntava aonde tinha errado. O que eu tinha feito? Será que algum dia dei a entender que eu queria alguma coisa? Será que alguma vez fiz ele pensar que eu tinha algum tipo de interesse? Será que foi alguma roupa que usei, alguma frase que falei? Será que a minha beleza tem culpa nisso tudo? Como me torturava não saber o que fiz para merecer isso!

Ninguém ouviu o meu grito por socorro?

Até lá, noites e noites de choro me corroeram a alma, e lembrar das suas mãos em mim me fazia desejar a morte.

Tudo ia bem. Eu não sabia que meu irmão nutria um desejo secreto por mim. Seus olhares?! Sempre entendi como admiração de irmão, mas no fundo eram olhares de um homem louco de desejo por uma mulher; ele, cercado de maus conselhos, planejou uma loucura maior ainda para ter essa mulher impossível a qualquer custo.

Por muitos anos meu coração foi cheio de culpa e de amargura.

Eu não sabia, não conseguia me perdoar.

Eu estava no palácio, era um dia qualquer. Você acorda feliz e não imagina que aquele será o dia mais trágico da sua vida! Eu nem imaginava o que me aconteceria horas depois. Estava tranquila fazendo o de sempre, me arrumando, me perfumando... E aí recebo a notícia de que meu pai havia mandado me chamar a pedido de Amnom, que estava muito doente, para ir à sua casa. Ele queria que eu lhe preparasse uma comida.

Não vi nada com maldade. Fui ingênua, acreditando que era realmente só um pedido de um irmão adoentado. Ele gostava mesmo de tudo que eu preparava. Por muito tempo também me condenei pela minha inocência. Eu deveria ter percebido algo.

Chegando lá ele me pediu que lhe fizesse os bolos, e eu os fiz com a maior alegria de servi-lo. Percebi que ele estava estranho, mas achava que era pela doença. Seu olhar estava diferente, mas eu não imaginei que ele estava planejando algum mal contra mim. Que mal meu irmão poderia me fazer?!

Terminei de preparar tudo e lhe ofereci, mas ele não aceitou. Antes, deu uma ordem para que todos saíssem e me pediu que fosse lhe servir no seu quarto. Como ele estava doente, achei apenas que não estava disposto. Fiz exatamente como ele pediu, porém, quando me aproximei, ele me agarrou e...

Meu irmão me tomou à força. Meu próprio irmão me desgraçou. Suas mãos fortes agarraram meus braços enquanto na minha cabeça eu sequer conseguia processar o que estava acontecendo. Eu queria vomitar. O seu cheiro me causava ânsia.

É difícil relembrar o que aconteceu, mas se tem algo que não consigo esquecer, são dos meus gritos implorando para que ele não fizesse aquela loucura. No desespero, até sugeri que ele pedisse a nosso pai que permitisse nosso casamento, para ver se isso lhe impediria de alguma forma, mas não! Nada adiantou. Ele estava completamente cego e fora si. Ele era bem mais forte que eu, portanto, mesmo usando toda minha força, eu consegui me soltar.

Ele me agarrou, me jogou em sua cama, rasgou minha roupa e me violentou. Eu não posso descrever a dor que senti — a dor física e a moral. A dor na alma por ter sido invadida. A dor da decepção por ter sido por alguém a quem eu tanto queria bem. A dor do abandono por sentir que Deus não estava lá para me livrar. E ainda senti a dor do desprezo, porque no fim de tudo ele ainda me expulsou com nojo. Fui abandonada com a minha vergonha, usada, enojada, machucada, rasgada por dentro e por fora.

Ele me olhou com repulsa, como se eu tivesse provocado aquilo tudo, e me mandou embora.

Saí e chorei sozinha a minha dor. Rasguei minha túnica, coloquei cinzas sobre a cabeça e, chorando desesperada, voltei para casa. *Ah, meu Deus, por quê?! Por que ele fez isso comigo?! O que fiz para merecer isso?!*

Quando cheguei em casa, não tinha como esconder. Absalão perguntou e, apesar da vergonha ser tanta, consegui falar. E o pior é que, quando contei, não tive o apoio que esperava. Acreditei por um tempo que todos achavam que tive culpa nisso. Meu irmão, Absalão, me pediu para engolir a minha angústia, afinal, Amnom também era meu irmão. Ele simplesmente não fez nada por mim naquele momento! Meu pai, o grande rei Davi, ficou indignado sim, mas também não fez nada. Ninguém fez nada por mim. Ninguém tomou a minha dor. E, de todas as dores, essa, ainda conseguiu me ferir mais um pouco.

Ninguém pode imaginar a dor de uma violência como essa, mas o mínimo que eu esperava era ser reparada de alguma forma mesmo que nada fosse capaz de aplacar o que eu estava sentindo. Contudo, as pessoas de quem esperei isso não fizeram nada a respeito, pelo menos não naquele momento. Foi assim que me senti. Eu corri para casa em busca de justiça e amparo, mas fui violentada pela solidão.

O tempo foi passando, e eu percebi que Absalão já não era mais o mesmo. Seus olhos não conseguiam me olhar como antigamente. No fundo, no fundo, ele ficou revoltado com o que Amnon fez comigo, sim, até que planejou o seu assassinato. Ele viu uma oportunidade e matou Amnon. Por causa da minha desgraça, meu irmão se tornou um assassino.

Agora eu já não carregava apenas a dor de um estupro, mas também a dor de me sentir a causa da desgraça na nossa família. Será que você consegue imaginar o que se passava na minha mente?! Violentada pelo irmão, abandonada por Deus, esquecida dentro de casa e, agora, meu irmão mata alguém por minha causa! Por muito tempo senti como se eu fosse a culpada de tudo isso. Meu pai começou a ver seu trono e sua família desmoronarem. Um filho que estupra uma irmã, um irmão que assassina o outro por vingança e que, também por decepção, deseja tirar o reinado do próprio pai. A verdade é que Absalão ficou tão furioso por nosso pai não ter feito nada que também alimentou ódio contra ele, a ponto de querer lhe tirar do poder. Eu fui o ponto na linha do tempo onde a desgraça invadiu a história de Davi.

Eu não tinha outra escolha a não ser me trancar em casa. Uma mulher, na minha época, com a vergonha que passei, era desprezada por todos. Nenhum homem quis me ter como esposa; meu futuro não seria bem o que sonhei. Vi meus dias se passarem dentro de um quarto escuro, o quarto escuro da minha dor. Dias de solidão e angústia me consumiram enquanto eu não deixava Deus me tratar, e me trancafiava dentro de mim mesma. Até que descobri que na clausura também existe cura. Não existe quarto escuro onde a luz não possa entrar. E eu deixei, finalmente, a luz entrar.

Nada explica nem justifica o que me aconteceu. Passei anos presa na pergunta *"Por quê?"*, até que parei de procurar as respostas. Um dia, se Deus quiser, apenas se Ele quiser, Ele me dará. O que mudou foi que eu descobri que minha dor pode ajudar a muitas que ouvem a minha história, e é por isso que estou aqui. Aprendi que nossas feridas têm poder para curar, e por isso decidi escrever a você.

Talvez você tenha uma dor. Talvez essa dor tenha feito você se trancar dentro de si mesma. Talvez você não deixe ninguém entrar nesse quarto escuro em que você se encontra. Talvez você nem conte, mas a dor está lá.

O que eu quero te dizer é que você não precisa se trancar como eu fiz. Você não precisa abandonar sua história como eu abandonei a minha. Você não precisa desistir de construir seus sonhos porque uma desgraça te aconteceu.

Deus é o Senhor da sua história. A dor e a desgraça não ocupam esse trono. Mas só você pode sair desse lugar em que você se trancou. Deus quer visitar a sua dor. Ele quer te sarar e te mostrar que Ele nunca te abandonou. Na hora da dor Ele estava chorando com você, gritando com você.

Que a minha história seja o exemplo para você fazer diferente. Você não teve culpa. Você precisa entender que não pode escolher o que vai te acontecer na vida, mas pode escolher o que fazer com a sua vida depois que algo te acontece. Não desista de você. Não se cale, não se tranque. Os sonhos de Deus ainda estão de pé. Dê um passo hoje em direção à vida nova que Ele te oferece. Deixe que a sua história seja instrumento de cura para alguém, assim como a minha hoje está sendo para você.

Com carinho, Tamar.

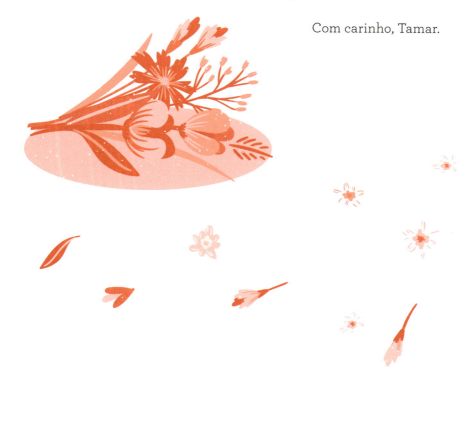

TAMAR, *filha de Davi com sua quinta esposa, Maaca. Seu nome significa, literalmente, "palma" ou "palmeira", dando uma conotação de celebração à natureza como provisão divina para facilitar nossa vida na terra. Sua história pode ser encontrada em 2Samuel 13.*

Cortem-lhe a cabeça!

por **Débora Otoni**

> *"Então a mulher levou o seu bom conselho até o povo. Eles cortaram a cabeça de Seba e a jogaram para Joabe. Ele tocou a trombeta, e seus soldados se retiraram da cidade. Todos voltaram para suas casas, e Joabe voltou para o rei, em Jerusalém." — (2Samuel 20:22, NVT)*

EM TEMPOS DE confusão, a gente precisa saber qual é o nosso lugar.

E eu estou na cidade da pacificação.

É aqui que as pessoas vêm para pedir conselho.

E o que eu digo pode ter consequências drásticas.

Um homem impetuoso e sanguinário chegou aos nossos portões.

Outro, um tirano déspota, estava escondido aqui.

Alguns acham que por ser lugar neutro, alguns lados são favorecidos.

O primeiro veio exterminar, o segundo era a causa do extermínio.

Não, meu povo não pagará pelos projetos de poder de alguns.

> *É a cabeça do traidor que você quer?*
> *Me deem algum tempo e eu a entregarei.*

Em briga de elefante quem sofre é a grama. Eu escolho regar a terra.

– UMA MULHER SÁBIA DA CIDADE –

E é isso que a sabedoria faz. Ela é como água refrescante que traz alívio e renovo.
Frescor.

Cortem-lhe a cabeça!

Meu conselho foi ouvido. Não porque eu gritei mais alto.
Mas porque eu fui em favor de outros.
Eu não vim por um trono, por uma posição.
Eu vim, eu gritei por um povo.

Seba, da tribo de Benjamim, havia se revoltado contra o trono de Davi e pretendia lhe tomar o cargo. Joabe, oficial do rei, vai em busca do traidor, até que chega à cidade de Abel e encontra uma mulher sábia. Essa história está registrada em 2Samuel 20.

As que disputaram por um filho

por **Raquel Otoni de Araujo Costa**

"Disse mais o rei: Trazei-me uma espada. Trouxeram uma espada diante do rei. Disse o rei: Dividi em duas partes o menino vivo e dai metade a uma e metade a outra. Então, a mulher cujo filho era o vivo falou ao rei (porque o amor materno se aguçou por seu filho) e disse: Ah! Senhor meu, dai-lhe o menino vivo e por modo nenhum o mateis. Porém a outra dizia: Nem meu nem teu; seja dividido. Então, respondeu o rei: Dai à primeira o menino vivo; não o mateis, porque esta é sua mãe." — (1Reis 3.24-27, ARA)

– AS DUAS MULHERES QUE BRIGAM PELO FILHO –

Somos mulheres sem nome e sem paz.
Sem escolhas e sem estabilidade.
Sem segurança e sem perspectiva.
Entregues a paixões alheias para uma possível
sobrevivência.
Disponíveis para quem quer que nos ofereça o que
seja em troca.
Nos encontramos na nossa dor.
Ambas grávidas.
Carregando alguém que não lhes pertencia por
inteiro.
A quem mais pertenceriam?

Dois partos. Dois nascimentos. Duas mães.
Quatro histórias.
Uma mãe dorme em cima de um filho.
Uma mãe sofrida. Sufocante.
Um bebê morto. Sufocado.
Duas mães sufocadas.
Cansadas. Frustradas.
Um único bebê restante para duas mães.

Uma mãe fazendo o possível para esquecer a morte.
Outra mãe fazendo o possível para manter a vida.
Um bebê restante, agora em risco.
Seria despedaçado para que uma mãe se sentisse
inteira.
Mas foi mantido inteiro por outra mãe que não
tinha medo de se despedaçar.

As que repartem os despojos

por **Raquel Otoni de Araujo Costa**

"O Senhor deu a palavra, grande é a falange das mensageiras das boas-novas. Reis de exércitos fogem e fogem; a dona de casa reparte os despojos." — (Salmos 68.11-12, ARA)

– AS QUE REPARTEM OS DESPOJOS –

A VIDA TEM das suas guerras. Desde a minha própria concepção, a vida foi marcada por desafios. Estou constantemente batalhando para me manter viva. Isso não é cultural e exclusivo de algum tempo específico. É instintivo. Sou um animal lutando pela minha sobrevivência e pela de meus descendentes. O combate está no meu sangue e é a garantia da minha existência.

Mas minhas batalhas diárias ultrapassam a necessidade de sobrevivência biológica. São batalhas sociais, emocionais, econômicas, relacionais, profissionais, culturais, espirituais, e por aí vai. Vai além da batalha contra o tempo, até porque não tenho tempo para tantas batalhas. Guerreio contra o relógio, as agendas e o calendário. Lutar por algo agora me tira o tempo presente e futuro de lutar por outras coisas. E aí começa outro dilema: qual luta escolher? A quais lutas pertenço? Pelo que vale a pena batalhar?

E se não houver nenhuma batalha para mim?
Foi justamente isso que aconteceu comigo.
Muito prazer. Meu nome você nunca ouviu. Nem precisa.
Pode usar seu nome no lugar do meu, fique à vontade.
Eu sou a que fui deixada de fora.
Você também?!
Não te deixaram guerrear?!
Disseram que não era lugar pra você?!
Mas olha só! Por favor, use seu nome no lugar do meu.
Acho que minha história é a sua.

No meio de uma grande guerra, eu me encontro em casa. No meio de embates épicos, estou posicionada no ambiente de sempre. Enquanto uma guerra importante está acontecendo, meu lugar é onde ninguém vê. Onde, aparentemente, nada acontece de extraordinário. Sou designada para onde as decisões não são tomadas, onde não há ninguém para resgatar.

Me percebo vulnerável ao sentir medo. Um medo de perder o que está acontecendo. Acho que você sabe como é. Aquele medo de ver que todos estavam na reunião mais importante, no protesto mais decisivo, no ato mais histórico, na festa de vitória mais badalada, menos eu. Um medo de acabar fadada ao anonimato eterno. De nunca ser reconhecida pela grandeza do meu talento. De o mundo nunca ficar sabendo da minha utilidade. Ah, esse anonimato... Um dos piores inimigos que já existiu na história. Parece que é um medo eterno e transcendental de não ser conhecida como realmente sou.

É como se as coisas só fossem acontecer se eu for a pessoa fazendo, correndo, falando. Se eu estiver lá. Já sabe, *se quiser bem feito, faça do seu jeito* – ou seja lá como esse ditado é dito. Por causa disso, me percebo vulnerável a legitimar meu valor apenas pela minha atuação em grandes lutas. Vulnerável a achar que não sou a mulherona que dá conta do recado. Chega a ser apavorante a possibilidade de eu não parecer forte, só porque estou em casa em vez de estar no campo de batalha sangrento.

É apavorante. Você sabe. Eu sei.

É um medo tão real e forte que às vezes a gente chega a ficar sem ar. As pernas tremem. O coração acelera. O rosto esquenta. O anonimato presume certa solidão. E se não sentirem minha falta?! Não sei nem como continuar essas perguntas. Preciso parar pra respirar.

Você também? Deu aflição ao pensar como as pessoas te deixaram para trás?
Calma.
Respira fundo.
Beba uma água.

Tudo bem. Melhorou?

Desculpa se te assustei.

Eu tenho uma resposta para isso tudo.

Minha história não acabou aí, nem a sua precisa acabar.

Mas eu precisava que a gente desse conta dessa realidade antes da solução. Não dá mais pra gente fingir que não fica mal com isso. É ruim, sim. Dá medo, sim. Mas tem jeito.

A verdade é que há algo maior que a batalha. Na verdade, há Alguém maior.

Maior que a guerra e maior até que as minhas habilidades para lutar.

Eu preciso me lembrar de que meu Deus é o Senhor dos exércitos. Ele é o Deus das batalhas. E eu preciso me lembrar de que não sou eu quem vivo. Que não sou a senhora dos exércitos. Ele é. O *Eu Sou* me lembra que a vida leve, dentro de casa, até no anonimato, tem sentido. Há propósito nos momentos longe dos holofotes.

Não fui feita apenas para mostrar minha força na guerra.

Também fui feita para mostrar minha generosidade ao repartir os despojos dessa guerra. E posso fazer isso justamente porque eu não estava lá. Os despojos não foram fruto do meu suor, e isso não precisa me intimidar. Tudo bem. Um guerreou, eu compartilhei. Eu posso repartir o que não veio das minhas mãos.

Isso é graça.

Não lutei pelo que recebi. E é justamente por isso que não retenho só para mim. De graça tenho recebido tantas coisas! É essa mesma graça que deve me impulsionar a distribuir.[1]

---

1   *Mateus 10:8*

O medo do anonimato pode impedir minha generosidade. E o contrário também é real: não me importar com o anonimato me deixa livre para repartir.

Não tenho mais que me desgastar para merecer algo. Não conquisto pelo direito. Não é o meu fazer que me torna digna. É a graça imerecida que me permite ficar em casa, ser alcançada pela vitória de uma guerra que não lutei, receber despojos que não eram meus por direito e compartilhar com todos esse favor que chegou até mim.

O Senhor dos exércitos é o Deus do amor. O Deus que me acolhe na minha vulnerabilidade e me restabelece no meu cansaço. Perceba: tanto as vitórias quanto os cuidados são ações Dele. Nada em mim é capaz de me salvar – e tem vezes que isso pode me incomodar profundamente. Reconhecer que minha força não vence as guerras nem garante o cuidado é estranho. Concordo com quem diz que a mágica da vida acontece fora da zona de conforto – e eis a zona mais desconfortável para viver: a zona da graça. Nela minha voz não manda em nada, minha força não vence batalha nenhuma, meu poder não redime nada, minhas qualidades não embelezam nada, meu cuidado não protege ninguém. É Ele. Sempre foi Ele. Lutando minhas guerras. Me protegendo no Seu amor.

Por isso, consigo navegar bem nas estações. Há tempo de estar na guerra, há tempo de estar em casa. Há tempo de ser conhecida, há tempo de ser anônima. Há tempo de lutar pelos outros, há tempo de cuidar do que ninguém vê.

É em casa, na intimidade, na rotina, que a gente aprende a graça da generosidade. Nossos olhos se tornam mais sensíveis às necessidades e à beleza do compartilhar no dia a dia. Na guerra, não temos tempo para repartir. Estamos lá para a conquista, para o embate. Na guerra, nossas ações são interligadas com as ações do inimigo. Em casa, nossas ações são interligadas com as ações de quem é família.

A guerra nos faz fortes. A casa nos faz generosas.

É isso.

Foi esquecida? Está longe da batalha? Prepare as mãos e o coração.

É hora de repartir os despojos.

É hora da graça.

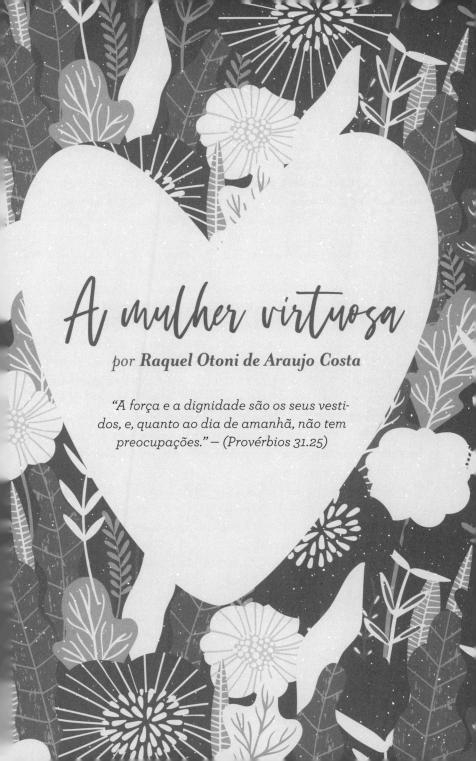

A mulher virtuosa

por **Raquel Otoni de Araujo Costa**

"A força e a dignidade são os seus vestidos, e, quanto ao dia de amanhã, não tem preocupações." — (Provérbios 31.25)

INDEPENDENTE DO TIPO de roupa e estilo que você curta, você tem suas peças favoritas. Aquela blusinha, moletom, jeans ou vestido que, por mais antigos que sejam, não têm como ir para doação. Parece que a roupa já viveu tanto tempo com você que ela já é parte de quem você é. Ela estava com você – ou melhor, em você – nos seus melhores e piores momentos.

Até que chega uma hora que precisamos admitir que aquilo que nos cabia numa época já não cabe mais. Chega a hora da separação. Se você tem seus apegos no guarda-roupa, sabe o quão difícil isso pode ser.

Mas não tem jeito, não dá mais. Por mais conforto que ainda exista naquela peça, você já não é mais aquela pessoa que a vestiu pela primeira vez. Os tempos são outros. Você é outra. A blusinha que fazia sentido na adolescência não necessariamente combina com a mulher que você se tornou.

Eu precisei fazer isso, mas não com roupas de tecido. Foram roupas da alma. E descobri que, por mais difícil que era me desfazer do que eu era, como foi libertador me vestir com roupas novas, que não enfeiam, não incomodam e nem envelhecem! Parece impossível existir algo assim, não é mesmo? Mas esses vestidos são reais! E melhor: são de graça! E pode ficar à vontade, essas minhas novas roupas não são o jeans viajante, mas cabem perfeitamente em você também!

Deixei para lá minha antiga roupa da fraqueza, e coloquei meu vestido da força. Uma força que me faz ativa, mas não agressiva. Não é a força do meu grito ou a força do meu braço. Não é a força arrogante ou a força insensível.

É a força da constância. Que me faz continuar em movimento, apesar das frustrações. Que me faz prosseguir no caminho, apesar do cansaço. Independentemente das minhas vulnerabilidades, ainda há força. No meio das minhas vulnerabilidades há força. Aprendi que quando sou fraca é que sou forte.[1] Isso porque descobri que a graça me basta, e minha força está nessa satisfação.

---

1   *2Coríntios 12:9-10*

– A MULHER DE PROVÉRBIOS –

Também troquei minha roupa de desonra pela dignidade. Essa dignidade me faz admirável, mas não orgulhosa. A dignidade é a beleza, o esplendor, a majestade, a honra. Fui coroada com glória pelo Deus de toda glória.[2] Me torno alvo de elogio que não me infla.

É a dignidade compartilhável. Essa beleza não me faz querer ser melhor que as outras, mas me faz distribuir honra para todas as minhas irmãs e irmãos. Vejo que todos somos alvo de elogios.

E, talvez, também precisei desapegar da roupa que estava mais agarrada em mim, e troquei a minha roupa de receio pelo riso. Esse riso me faz esperançosa, mas não utópica.

Agora, consigo olhar para o futuro sem medo. Olho para os dias que virão, e meu sorriso se abre. Não preciso mais andar ansiosa por coisa alguma.[3] O desconhecido não me apavora, porque conheço Aquele que me conhece.

Minha força, minha dignidade e meu riso são presentes. Tudo vem Dele e só faz sentido quando está rendido a Ele. Enquanto minhas qualidades e habilidades começarem e terminarem em mim, elas serão tão limitadas quanto eu. "Glória e majestade estão diante Dele, força e formosura, no Seu santuário."[4]

Quantas mulheres na história foram assim. Mulheres que também decidiram se vestir de força, de dignidade e de riso. Mulheres que, pela sua decisão cheia de fé, marcaram a história do cristianismo. Mulheres cheias de virtude. O que dizer de Fanny Crosby, Elisabeth Elliot, Catarina Von Bora, Susana Wesley, Amy Carmichael, Catherine Booth, Corrie ten Boom, entre tantas outras, senão que eram mulheres realmente cheias de virtude? Mulheres que, sim, tinham suas fraquezas, suas desonras e seus receios. Mas foram mulheres que desafiaram sua própria história. Decidiram se desapegar de seus vestidos antigos. E se revestiram, pela graça, de Cristo.[5]

---

2   *Salmos 8:5*
3   *Filipenses 4:6*
4   *Salmos 96:6*
5   *Colossenses 3:12-17*

Confissões de uma rainha itinerante

por Andreia Coutinho Louback

– CONFISSÕES DE UMA RAINHA ITINERANTE –

JÁ ESTAVA ACOSTUMADA a viajar pelos arredores do reino de Sabá, mas certamente aquela foi a mais longa jornada de todas da minha vida. Saímos bem antes de o sol raiar. Não havia indícios de chuvas, apenas uma atmosfera úmida e quente. Na bagagem, meus melhores trajes, joias, especiarias, pedras preciosas, fragrâncias e suprimentos suficientes para a viagem. Ao olhar pela cortina da janela, observei o tumulto que antecedia a logística daquela aventura. Uma caravana de pessoas e camelos estava habilitada para cruzar a fronteira até Jerusalém.

Em média, 2.400 quilômetros, 75 dias para ir e mais 75 para voltar. Passamos pelo deserto, que parecia uma fogueira de brasas vivas do início da manhã ao fim da tarde. Nossa melanina natural nos protegeu de feridas em carne viva em nossa pele. Em contrapartida, sofríamos à noite na hora de dormir devido às variações de radiação do sol. Logo no décimo dia de trajeto, eu juro que pensei em recuar. Porém, as inquietações que pulsavam em meu coração, mente e alma eram tão intensas que eu preferia morrer carbonizada pelo calor a voltar atrás. Não havia plano B, nem plano C. Era chegar ou chegar.

E chegamos. Eu estava física e psicologicamente destruída. Ao longo da lenta peregrinação eu me perguntava *"O que estou fazendo? O que estou fazendo?"* Minha ousadia, porém, competiu com minha exaustão. O rei Salomão estava a me esperar em seu palácio. Como rainha, não me impressiono com o que é luxuoso. Mas devo confessar que nada se compara ao que eu vi naquele lugar. Tudo era reluzente como o cristal e divinamente refinado como milhões de rubis.

Sem autopermissão para demonstrar que estava impressionada, levei ao rei absolutamente todos os meus enigmas disfarçados de perguntas. Em um misto de questionamentos com tamanha profundidade, assim como outros meios confusos, Salomão me observava com um olhar atento e constrangedor.

Rasguei toda a minha vulnerabilidade, a minha síndrome da impostora, o meu senso de reconhecimento e de afirmação e definitivamente escancarei meu coração. Desnudei meus medos, minhas cicatrizes, meus sonhos escondidos. Eu chorava, soluçava, gritava, pausava. Foram mais de sete horas de conversas intermináveis.

A seguir, compartilho algumas de suas palavras,[1] que hoje estão cravadas não apenas em minha memória, mas também em minha nova forma de vida com o meu Criador. Registro abaixo:

I.   Embora você seja a mulher mais poderosa de Sabá, o tempo não está sob o seu controle. *"Tudo tem seu tempo determinado e há tempo para todo propósito debaixo do céu."*

II.   Não se engane sobre a vida e sobre a morte. Saiba sempre que é *"melhor ir à casa onde há luto do que ir à casa onde há banquete"*, pois em um funeral temos a real dimensão do fim de todos nós, independentemente de reino, riquezas, poderes, especiarias ou quaisquer outras futilidades que damos valor nessa jornada.

III.   Não importa o quanto te valorizam em seu castelo ou em seu reino. *"Tudo o quanto te vier à mão para fazer, faze-o conforme as tuas forças"* e toda a sua generosidade. Digo isso, pois, *"na sepultura para onde você vai, não há obra, nem indústria, nem ciência, nem sabedoria humana"*.

VI.   Não se afunde em suas infinitas indagações, rainha de Sabá. Pare de acusar com sucessivas desconfianças os que te cercam, embora nem sempre possamos confiar uns nos outros. A natureza humana é escorregadia e, por vezes, incoerente. *"Deus nos fez íntegros e honestos, mas nós estragamos tudo."*

---

1   *Eclesiastes 1:1, 7:2, 7:29, 7:10.*

v. *"Aproveite a vida! Coma do bom e do melhor. Aprenda a apreciar um bom vinho. Sim, Deus tem prazer no seu prazer! Vista-se toda manhã como se fosse para uma festa. Não economize nas cores nem nos detalhes. Aprecie a vida com a pessoa que você ama todos os dias dessa sua vida sem sentido. Cada dia é um presente de Deus. É tudo o que se pode receber pelo árduo trabalho de se manter vivo. Portanto, tire o máximo de cada dia. Agarre cada oportunidade com unhas e dentes e faça o melhor que puder. E com prazer! É sua única chance"*. Espalhe essa verdade por onde passar. "É sua única *chance!"*

A rainha de Sabá foi uma célebre soberana da região que hoje compreende os territórios da Etiópia e do Iêmen. É mencionada nos livros de Reis e Crônicas, no Antigo Testamento.

por **Fabiane Behling Luckow**

*"EU MATO! Mato todos que me desafiarem.
Acabo com a vida, com o rastro deles."*

ALTIVA, SENTOU-SE EM frente ao espelho, buscando conter a raiva. Respirou fundo e pintou os olhos, prendeu o cabelo. Tentou fazer tudo vagarosamente, para recobrar a calma.

Vaidosa, olhou-se no espelho. O viço da juventude a abandonara aos poucos, ainda que seus olhos continuassem com aquele brilho.

"Decadente!", uma voz gritou dentro de sua cabeça.
"NÃO! Decadente nunca!", respondeu em voz alta, para si mesma, para espantar aquela ideia.

Orgulhosa, lembrou-se:
"Rainha! É isso que sou! Rainha!"

E como rainha, levantou-se e foi até a janela, receber o indesejado convidado.
"Desgraçado!", falou entre os dentes, ao ver Jeú atravessar o portão do palácio.

"Como vai, Zinri, assassino de seu senhor?", gritou do alto da janela de seus aposentos, provocando o visitante.

Mal teve tempo de falar quando sentiu que a empurravam.

– JEZABEL –

Caindo, teve a impressão de que tudo acontecia muito devagar.

"O chão parece tão longe", pensou.

Não lembrou de clamar a Baal. Seria inútil. Nem fogo, nem água. Ele não a salvaria. Com um baque surdo, seu corpo encontrou o chão. Antes de entender o que havia acontecido, o cavalo a pisoteou.

Vermelho.
Sempre foi sua cor favorita.
Todo sangue que verteu de suas mãos agora eram milhares de pingos na parede.
Afogada na própria maldade.
Fechou os olhos quando viu os cães se aproximando.

Os significados mais atribuídos ao nome JEZABEL são "adoradora de Baal" ou "não exaltada". Ela foi uma princesa fenícia que, por arranjos políticos, casou-se com rei israelense Acabe. Jezabel perseguiu os profetas de sua época e levou Acabe à levantar altares a outros deuses. Além de ser mencionada em 1Reis, também aparece no livro de Apocalipse.

Gômer

por **Débora Otoni**

"Não tenham outros deuses além de mim." — (Êxodo 20:3)

Ele sempre me leva de volta.
Eu sempre tropeço na mesma pedra.
Ele sempre me levanta de volta.

Eu me acostumei. Estou segura no meu jeito de viver, de ver
o mundo, de fazer as coisas.
Mas, agora, ele diz que eu tenho algo a ensinar a
um povo.
Eu não pedi essa função, essa responsabilidade,
esse papel.

Ele via alguém em mim que eu mesma não conseguia
enxergar.
Mãe, esposa dedicada e fiel?
Eu tenho minha própria história, e estou bem com ela.

Mas ele sempre me leva de volta.
Ele não me leva à força.
Ele vem e me levanta com tanto carinho.
Essa insistência me constrange.

Eu dou valor ao que me prometem. Me escravizo porque ter
mais um pouco, deslumbrar mais um pouco, vale a pena.
Em tempos prósperos, cada um tem seu deus.
Cada um é o seu próprio deus.

Eu me deixo ser usada, me desgasto. No fim do dia, recolho o que é MEU.

Em tempos prósperos, não há coletividade.

O amor é artificial.

Ele vem. Ele veio mais uma vez.

Ele gastou todo o seu tempo, seu dinheiro.

Deixou de fazer o que tinha que fazer.

E eu só penso em fazer coisas para provar meu valor.

Ele veio mais uma vez. E ele me amou.

Ele sabia do meu pior momento, do meu pior segredo.

Ele me levantou do chão imundo. Ele não se importava com a minha sujeira.

Ele só queria me amar.

E esse amor transformou o que era desfavorecido em amado.

Porque é isso que o amor faz.

Ele nos faz completos, apesar de imperfeitos.

Completos uns nos outros.

Pertencentes.

Nenhum outro prazer ou coisa disponíveis nesta terra.

Nada que a gente pode conseguir fazer ou ter.

Só esse amor consegue nos enxergar por completo e vir.

E Ele vem.

Os relatos sobre GÔMER *podem ser encontrados no livro do profeta Oseias. Seu nome significa "completo", "perfeito", "acabado".*

Um roteiro por Sarepta: fome, milagre e vida eterna

por Andreia Coutinho Louback

CENA I – A vida adulta tem me ensinado um pouco mais sobre a arte da hospitalidade. Como uma virtude de múltiplas vias, de um lado temos quem acolhe e, do outro, quem é acolhido. O aprendizado mais valioso dessa equação para mim foi quando pude compreender que não tem nada a ver com mesa farta, luxo, conforto e facilidades. Tampouco tem relação com casa limpa, toalha cheirosa, colchão individual para dormir. Ser hospitaleira é sobre receber com o que temos e, assim, exercitarmos a prática da presença de pessoas.

CENA II – Para nos ensinar sobre isso *in loco*, ninguém melhor do que a ousada viúva de Sarepta. Ela que, apesar dos poucos registros e evidências sobre sua jornada de fé, nos sinaliza algumas verdades facilmente negligenciadas nos tempos nos quais vivemos. Vamos imaginar essa cena? Uma mulher, mãe, pobre e viúva em um período escasso de qualquer indício de chuva. O cenário era caótico: seca extrema e riachos vazios. A cidade de Sarepta era localizada em Sidom, uma região ao norte de Israel e marcada por uma identidade pagã. Foi lá que o então profeta Elias se refugiou. Em um movimento de fuga, sob o comando da voz de Deus, o fugitivo chega à porta da cidade e logo avista uma mulher emparelhando lenha para fazer fogo.

CENA III – *"Olá, senhora. Seria muito te pedir um pouco de água e um pedaço de pão? Já faz algumas horas que tenho caminhado, procurando um lugar para repousar"*, disse Elias, com uma voz cansada.

"Oh, meu senhor. Água eu até tenho, mas pão eu vou ficar em dívida. Tudo o que eu tenho, na verdade, é pitada de farinha e azeite. E é com essa pitada que farei o último pão para mim e para o meu filho antes de passarmos desta vida para a morte pela pior causa que há: a miséria", disse a viúva com um olhar perdido, sem esperança, mas cheio de generosidade.

"Se eu te falasse que você não precisa se preocupar mais com a escassez de farinha e pão na sua casa, você acreditaria em mim?"

"Eu não te conheço, conheço?", disse ela, um pouco constrangida.

"Faça um pouco de pão para mim e te dou a minha palavra de que, até o fim da seca, o refil de farinha e azeite terá uma edição ilimitada na sua casa."

CENA IV – Embora vivamos numa era em que a confiança é sempre posta à desconfiança, a viúva deu um voto a Elias. De fato, sua casa foi presenteada com uma abundância de suprimentos por muito, muito tempo. Era um verdadeiro milagre: as botijas jorravam azeite sem que houvesse um repositório e – como mágica! – a farinha multiplicava-se a cada turno do dia. O profeta foragido ficou hospedado naquele humilde casebre por um tempo, até que um dia ele desperta do sono, com a viúva em prantos...

CENA V – *"Meu filho parou de respirar! Está roxo, gelado! Está morto!"*, gritou ela, transtornada.

Antes que Elias dissesse uma palavra, ela prosseguiu: *"O que eu te fiz, homem? O que eu fiz para receber mais essa desgraça, mais um luto? Mais uma perda irreparável? Eu te ajudei, eu te recebi, você tem desfrutado de tudo o que é nosso neste lugar. E o que eu ganho com isso? A morte do meu único filho, meu único menino?"*, ela questiona entre lágrimas, soluços e gritos.

CENA VI – Ao observar o estado emocional daquela viúva desamparada, imediatamente aquele profeta dispensou palavras, tomou o menino e subiu para o seu quarto. Suplicou a Deus com fé para que ele voltasse à vida. Ele se deitou sob o menino uma, duas, três vezes, como se estivesse comparando a altura entre os dois corpos. Nada.

CENA VII – O menino, enfim, despertou.

"Seu filho está vivo, senhora", disse Elias, com o menino nos braços.

"Agora não me restam dúvidas! Você é realmente filho de Deus e Ele é vivo, é real! Ele existe na sua vida, passou a existir na minha casa, em meu incrédulo e despedaçado coração", disse ela com lágrimas e olhos arregalados. *"Obrigada por ensinar que a vida é um milagre, seja pela própria vida ou pela própria morte"*.

A VIÚVA DE SAREPTA acolheu o profeta Elias, apesar da sua própria precariedade. Sua hospitalidade generosa gerou milagres e a abundância de que ela tanto precisava. Sua história é registrada em 1Reis 17.

Fim

Sunamita

por **Leane Barros**

SUNAMITA

DEUS NOS ACOLHEU, criou espaço Nele para nós, para que fôssemos atingidos pelo seu profundo amor. Eu acredito que tudo que Deus nos dá é para sermos acolhidos por Ele e para servir aos outros em acolhimento. Acolher e hospedar é o que Deus fez por nós. Acredito fortemente que é o que Ele deseja que façamos com os outros.

Meu nome não precisa ser citado. Sou conhecida como *Sunamita* e isso é suficiente para mim.

Deus me fez ser importante e me encheu de recursos. Desde cedo percebi que isso era Dele e para Ele deveria voltar. Tanto eu como meu marido éramos apenas mordomos de tudo que das mãos Dele vinha.

Moramos em uma cidade que constantemente é visitada pelo profeta Eliseu. Não há outra maneira de defini-lo a não ser *Homem de Deus*. Era inegável. Podíamos perceber isso em todo o seu proceder. Nós e nossa cidade éramos abençoados pela presença e cuidado de Deus que Eliseu trazia até nós.

Ele sempre estava aqui por Suném. O mínimo que podíamos fazer para retribuir era não o deixar chegar e partir sem uma boa refeição. Nós é que saímos ganhando com isso. Como eram boas as nossas conversas sempre que ele estava aqui. A presença do Senhor enchia a casa, nós nos enchíamos de vida.

Eliseu caminhava demais, da cidade dele até aqui eram mais ou menos uns 56 quilômetros. É muito chão. Apenas servir-lhe pão não era o suficiente. Depois de sua última partida, fiquei a pensar como poderíamos cuidar melhor desse homem que tanto se entregava em favor de todos nós.

Foi assim que a ideia veio. Estava a comer tâmaras sentada próxima ao pátio. De repente a ideia veio como um raio, e meu coração se encheu de euforia. Era isso. Devíamos fazer um quarto para que Eliseu pudesse descansar toda vez que viesse a Suném: uma cama limpa e macia para o corpo cansado, mesa, cadeira e candeeiro para que seus momentos devocionais tivessem conforto. Um lugar de paz e descanso, um pequeno oásis na jornada. Tudo pensado com amor e carinho em cada detalhe. Chamei meu esposo, que prontamente concordou. Começamos a obra para que tudo ficasse pronto para a próxima visita de Eliseu. Abrigá-lo seria uma pequena representação do que Deus fez e faz por nós.

Mal podia esperar a chegada de Eliseu. Mandei colocar os melhores tecidos e travesseiro sobre a cama, água fresca na botija, frutas e pão sobre a mesa. Estávamos tão felizes em poder retribuir, em poder servir um homem tão dedicado ao Senhor! Servir Eliseu era como servir ao próprio Deus e estávamos muito honrados com essa possibilidade.

Finalmente ele chegou a Suném. Abraçamos nosso amigo, perguntando se foi boa a viagem. Ele, com seu jeito sereno e sábio, entrou em nossa casa já nos fazendo sentir a presença de Deus novamente. Apresentamos seu quarto. Quanta alegria ao ver em seu semblante que ele também estava feliz por ter onde descansar.

Eliseu quis retribuir. Não me pareceu certo. Não fizemos nada daquilo para ter algo em troca. Mesmo assim ele quis, e profetizou que em 1 ano eu teria uma criança. Não tinha filhos, meu esposo estava já muito velho. Mesmo sendo muito ruim ser uma mulher sem filhos, Deus sempre cuidou de mim, e nada me faltava.

Um ano depois eu estava com meu filho nos braços. Não sabia que poderia haver maior amor e favor de Deus para comigo. Ter uma criança era algo além do que podia imaginar.

Meu menino foi crescendo ao som de canções e histórias sobre o nosso Deus. Dedicado, obediente e prestativo. Uma verdadeira paz e alegria ao coração.

Certo dia, estando em casa, chega um dos servos com menino nos braços, mole de tão doente. Mal abria os olhos nem conseguia falar. Queixou-se de uma forte dor de cabeça enquanto ajudava o pai nas plantações. Coloquei-o com a cabeça no meu colo, orando a Deus por sua vida incessantemente. O peito parou de se encher de ar, a vida tinha ido. Assim como conheci tamanho inexplicável amor quando o tive em meus braços pela primeira vez, agora, com ele em meu colo, descobria a mais dilacerante dor.

Deus me ensinou a não me dobrar facilmente nas adversidades e a procurá-lo sempre. Deus me ensinou a sempre depender Dele, e esse é meu maior tesouro. Deus havia me dado essa criança sem que eu a pedisse. Haveria então um propósito maior para que ele vivesse.

Coloquei-o no quarto do profeta, pois sabia que ninguém entraria ali. Rapidamente preparei a condução e fui ao encontro do profeta. Não carecia de fazer alarde em casa, preocupando o marido por algo que em meu coração tinha certeza de que Deus resolveria.

Ao chegar a Carmelo, encontrei Geazi, servo de Eliseu, que me perguntou o porquê da visita, e eu só disse que estava tudo bem. Não era preciso contar também a ele o ocorrido. Quando disse que tudo estava bem, não era mentira. Independente do que acontecesse, eu sabia que Deus estava comigo. Além do mais, não havia tempo a perder com explicações. Nessas horas, quanto menos falamos e mais focamos nos esforços assertivamente, melhor, e eu sabia que se tivesse que explicar o acontecido perderia minhas forças em lágrimas.

– SUNAMITA –

Assim que vi Eliseu, meu coração de mãe não aguentou. Até ali, eu tinha conseguido segurar a angústia de ver meu filho sem vida. Sem me dar conta, eu já havia me lançado aos seus pés, desabando meu pranto cheio de dor. Meu filho tão amado... sem uma respiração sequer. Era uma dor absurda, dor essa que eu jamais teria conhecido se não fosse pela profecia de Eliseu. Logo, a única coisa que me veio a cabeça foi ir até ele pedir auxílio.

Graças a Deus ele me ouviu, pegou seu cajado e pediu a Geazi que se apressasse para ir comigo, a fim de levar o cajado e colocá-lo sobre o rosto do menino.

Não que eu fosse incrédula, mas no fundo eu sabia que era preciso mais do que isso. Eliseu precisava ir comigo, e eu disse que não sairia de lá sem ele. Quando paro pra pensar na minha ousadia de falar assim com o homem de Deus, caio na risada hoje em dia, mas na hora foi mais forte do que eu. Ainda bem! Quando Geazi chegou e colocou o cajado sobre o menino, nada aconteceu. Eliseu entrou no quarto e ficaram os dois, ele e meu filho, lá dentro a sós por um tempo.

Do lado de fora me faltavam palavras para conversar com Deus *(tem horas na vida que a gente só faz sentir e chorar)*. Em todo tempo, sabia do poder e do cuidado de Deus: fosse o que fosse, por mais que doesse, Deus era bom e confiando na sua bondade pude viver coisas maravilhosas até ali, descansando nela. Ele guiou nossa família e nos prosperou, e sabemos que isso é resultado de seu próprio querer, não vem de nós. Então, eu poderia depender novamente da sua bondade nesse momento difícil. Eu não conseguia me expressar, mas ele estava lá e me entendia.

Nunca vou esquecer o som da respiração do meu filho quando a porta do quarto se abriu e nos perdemos em abraços.

Ouvir aquele som foi como ouvir Deus soprando o fôlego da vida sobre todos nós.

Nosso lar ganhou um novo fôlego para que pudéssemos prosseguir em cuidar, hospedar, acolher, servir e compartilhar com todos os que passassem por nós e por nossa cidade a grandeza e a bondade do Senhor. Olhar para o meu filho sempre será para mim a lembrança de que, em qualquer circunstância, o que realmente vale a pena é descansar em total dependência do amor e da bondade do Senhor.

Deus nos acolheu, criou espaço Nele para nós. Por isso eu e minha família, enquanto tivermos vida, criaremos espaço em nós para acolher os outros, sempre dependendo do Senhor.

A mulher SUNAMITA não tem seu nome registrado nas Escrituras, mas sua história aparece em 2Reis 4, a partir do verso 8.

A escrava

por **Raquel Otoni de Araujo Costa**

"Naamã, comandante do exército do rei da Síria, era grande homem diante do seu senhor e de muito conceito, porque por ele o Senhor dera vitória à Síria; era ele herói da guerra, porém leproso. Saíram tropas da Síria, e da terra de Israel levaram cativa uma menina, que ficou ao serviço da mulher de Naamã. Disse ela à sua senhora: Tomara o meu senhor estivesse diante do profeta que está em Samaria; ele o restauraria da sua lepra. Então, foi Naamã e disse ao seu senhor: Assim e assim falou a jovem que é da terra de Israel. Respondeu o rei da Síria: Vai, anda, e enviarei uma carta ao rei de Israel." — (2Reis 5:1-5)

- A ESCRAVA -

QUERIDO DIÁRIO,
Desde que fui trazida a este país as coisas têm sido bem estranhas. Não sei se "estranhas" seria a palavra certa, mas é a palavra que eu tenho neste momento. Tanto é que eu tenho escrito pouco. Aqui na Síria tudo é muito diferente, claro. Pessoas, idioma, deuses. Meu senhor, Naamã, serve a um certo Rimom, deus da tempestade, segundo eles. Não entendo como alguém se renderia a uma entidade que por si só é a própria tormenta. Não sei quantas respostas se encontram no templo das tempestades.

Até que percebi que Naamã, meu senhor, e sua esposa estavam preocupados. Parece que Rimom estava realmente presente. Essa casa era só temporal. Sem paz ou sem direção à vista. Os dias pareciam sem fim. O tempo estava tão fechado que as noites viravam dias, que viravam noites, e a gente nem percebia.

Enquanto a casa estava assim, do lado de fora, meu senhor era cada vez mais bem-sucedido. Todos conhecem Naamã por aqui. Ele é herói de guerra, famoso, aclamado. Não tem quem o veja e fique sem sorrir. A vitória da Síria, inclusive, veio por suas mãos. Minha escravidão, inclusive, foi resultado disso.

E é estranho. Essa é mesmo a palavra. *Estranho*. É estranho que um homem tão aplaudido esteja passando por problemas tão grandes. E é estranho que eu, como escrava, tenha sentido tanta vontade de ajudar.

Porque foi isso que *eu* senti.
E foi isso que *eu* fiz.
Não sei dizer muito bem qual a lógica disso. Nem sei se tem.
Só sei o que eu vi, o que eu poderia ter feito, e o que eu realmente fiz.

Acontece que Naamã – o homem que acabou com minha terra, matou meus amigos, destruiu tudo que eu conhecia, me tirou de casa e me faz trabalhar como escrava – é leproso. E ainda bem que este diário é secreto. Eu estaria morta se alguém soubesse disso pela minha boca. Mas essa é a verdade. O grande herói nacional estava se deteriorando na minha frente. O valentão que invadiu minha realidade estava sofrendo. Sua família sofria com ele. Sua esposa escondia esse segredo com ele. E, agora, eu também. O segredo dele também era meu. Eu me tornei parte da sua história. Eu era parte da sua impureza.

Ah, ainda temos isso. Como vou clamar ao Senhor estando em contato com um homem tão impuro? Ele já me tirou de longe do Templo e ainda me torna impura só por estar perto dele. Ele é que deveria estar morando sozinho, longe de todos. Mas não. Todos querem estar perto dele. Eu sou obrigada a estar perto dele.

Foi isso que eu vi. Um temporal que me dava razões suficientes para fugir, lutar, gritar, praguejar, matar ou morrer. Eu conhecia as histórias de muitas mulheres israelitas corajosas que resolveram as coisas de diversas formas diferentes. Elas enfrentaram muito perigo de peito aberto.

Mas foi estranho. Muito estranho.

Tudo que eu sentia e sabia era que eu tinha a resposta de que ele precisava. Eu sabia como afastar o temporal. Eu sabia que ele não precisava definhar na lepra, por mais que eu tivesse todos os motivos para deixar que isso acontecesse.

E foi aí que meu coração se encheu de compaixão. Ou coragem. Ou os dois. Nem sei mais se é possível existir de verdade um sem o outro. Se a coragem é pela agressão em si, ela vira covardia. Se a compaixão só sente e nada faz, ela é vazia.

Cheia dessa compaixão corajosa (ou dessa coragem compassiva), falei com minha senhora sobre onde encontrar a cura.

Naamã precisaria voltar ao lugar de onde me tirou. Sem me levar junto. Sem trazer lembranças da minha casa. Não era sobre minha restituição. Sobre pagar as minhas contas. Era sobre ele. Ele precisava ir para o lugar que eu mais amava e do qual eu mais sentia falta. Nos meus sonhos mais lindos, era tudo que eu esperava: poder voltar para minha casa. Mas não era a minha vez.

Estranho demais. Estranho demais! Como eu consegui mostrar para ele o caminho de volta para minha casa? Como surgiu a ideia de dizer para ele voltar para lá? A última vez que Naamã pisou no meu país, ele estragou tudo. Mas era lá em casa que ele encontraria a resposta.

Eu também não sei explicar por que minha senhora me deu ouvidos, ou como ele me deu ouvidos, ou como o próprio rei me deu ouvidos. Isso mesmo. Eu disse que meus dias estavam estranhos. O que eu falei com minha senhora chegou ao rei da Síria. Eu não sabia nem onde esse país ficava, agora o rei sabe o que eu falei. E eles todos acataram meu conselho. Meu senhor foi atrás do profeta de Israel buscar o fim do seu temporal.

Agora, eu não sei bem o que aconteceu em Israel. Não sei como minha cidade e vizinhança estão. Eu não ganhei alforria. Eu não ganhei presente algum. Mas hoje eu vi quando Naamã voltou.

De novo: estranho.

Ele está curado. Sua força para a batalha está melhor que antes. Seu prestígio e estima agora serão ainda maiores. E eu não estou com medo. Não estou triste por ele ter ido aonde eu mais queria ir. Não estou frustrada por ele estar melhor.

Até porque a maior das estranhezas aconteceu junto com essa cura: ele voltou com um carregamento de terra. Terra da minha terra! Ah, eu não tenho palavras! Meu coração não está se aguentando! Quem pensaria que eu veria minha terra de novo? E ela está aqui!

Eu sei, eu continuo escrava. Parece que eles nem sabem meu nome direito. Mas tem Alguém que sabe. Sabe meu nome, sabe minha situação, e sabe que eu precisava saber disso. Eu precisava saber que Ele não me esqueceu. Que Ele está comigo até longe de casa. Até na escravidão.

Eu enviei Naamã para Ele. Ele fez Naamã trazer mais Dele para mim.

Não sei se alguma coisa disso faz sentido. Eu ainda não vi lógica nessa história.

Mas é real. É a minha história.

E você é o meu diário, está aqui para guardar minhas palavras e histórias mesmo ;)

Enfim, já é hora de eu voltar para o trabalho.

Acho que é isso. Foi melhor eu me livrar do que seriam minhas reações por direito. Talvez, me agarrar ao que era meu direito era minha maior escravidão. Lutar era meu direito. Matar era meu direito. Fugir era meu direito. Ter compaixão, não. Não era direito de ninguém. Ele não merecia.

Mas foi justamente quando eu me livrei dos direitos que a tempestade saiu da minha realidade. O dia aqui está outro. Sem trovoadas ou escuridão.

Rimom não é mais o deus desta casa.

O Deus de Israel se fez presente aqui.

Outro dia eu volto, querido diário. Obrigada por me ouvir mais uma vez.

Beijos daquela que você conhece a ponto de não precisar falar o nome.

As parentes

por **Débora Otoni e Raquel Otoni de Araujo Costa**

"Vendo Atalia, mãe de Acazias, que seu filho era morto, levantou-se e destruiu toda a descendência real. Mas Jeoseba, filha do rei Jorão e irmã de Acazias, tomou a Joás, filho de Acazias, e o furtou dentre os filhos do rei, aos quais matavam, e pôs a ele e a sua ama numa câmara interior; e, assim, o esconderam de Atalia, e não foi morto. Jeoseba o teve escondido na Casa do Senhor seis anos; neste tempo, Atalia reinava sobre a terra." — (2Reis 11:1-3)

Atalia: Reino soberanamente.
Meu punho é de ferro.
Meu sangue é de ouro.
A filha da Jezabel.
O símbolo da força e da destreza feminina.
Quando a gente quer a gente consegue.
Minha mãe me ensinou assim.
Nenhuma outra divindade pode ser temida.
Deuses existem para nos servir.
Nós somos supremos e perpétuos.

(Morre Acazias)

A: Vi minha herança e minha perpetuidade enterradas.
Me tiraram a chance de um nome eterno.
Mataram meu menino, meu rei descendente.

Ninguém escapa à minha vingança. Matarei
todos os descendentes deles também.
Davi não mais subsistirá.
Serei maior e serei eterna, nem YHWH me
impedirá!

Jeoseba: Atalia, filha de Jezabel, não se engane.
YHWH é Senhor das grandes batalhas e
também dos pequenos esconderijos.
Ele é o Senhor dos fortes guerreiros e também
das crianças desprotegidas.
A história ainda não terminou.

A: Ouvi rumores de que os descendentes dos hebreus
querem me derrubar.
Meus santos são fortes. Eu sou inquebrável.
Eles tornam tudo sagrado, estão no templo
com um menino que dizem ser o rei.
Uma pobre criancinha, que nas minhas
mãos perecerá.
A casa de Jezabel, os filhos de Baal reinarão
por todas as eras.

J: Ah, se você, Atalia, ouvisse o som que vem
do Templo.
Não digo o som do povo que aclama Joás, o
menino, como rei.
Mas a voz do Rei, que sempre se fez ouvir
no Templo.
Ah, Atalia, se você tivesse ouvido…
Sua história seria outra.

(Atalia morre)

A profetisa

por **Raquel Otoni de Araújo Costa**

"Ide e consultai o Senhor por mim, pelo povo e por todo o Judá, acerca das palavras deste livro que se achou; porque grande é o furor do Senhor que se acendeu contra nós, porquanto nossos pais não deram ouvidos às palavras deste livro, para fazerem segundo tudo quanto de nós está escrito. Então, o sacerdote Hilquias, Aicão, Acbor, Safã e Asaías foram ter com a profetisa Hulda, mulher de Salum, o guarda-roupa, filho de Ticva, filho de Harás, e lhe falaram. Ela habitava na cidade baixa de Jerusalém."
— (2Reis 22:13-14, ARA)

— BOA NOITE, homens e mulheres de Judá! É sempre muito bom estar com você, trazendo as últimas notícias do nosso Reino do Sul! Estou aqui diretamente de Jerusalém com novidades do Palácio e, vejam bem, do Templo!

Como vocês sabem, ficamos bastante tempo sem acontecimentos no Templo. Mas, desde que nosso rei Josias foi coroado aos 8 anos de idade, muita coisa tem mudado por aqui. Hoje, Sua Majestade o rei está com 26 anos e são notórias as reformas religiosas, econômicas e políticas que ele tem feito por aqui.

Mas hoje não vamos falar sobre ele. Nossa convidada é Hulda, profetisa da cidade. Bem, senhoras e senhores, preciso dizer que foi com muita dificuldade que conseguimos trazê-la aqui. Ela é de ficar bem longe dos holofotes, ao contrário de outros falsos profetas que costumávamos ter no passado...

Bem, não é esse nosso assunto. Boa noite, Hulda, é um prazer ter você aqui!

— Boa noite! O prazer é meu!

— Hulda, você é da Cidade Baixa, e seu esposo trabalha no Palácio, é isso?

— Sim, Salum é o guarda-roupa real.

— E o que aconteceu para o rei Josias te procurar?

— Como sabemos, desde que o rei assumiu, as coisas começaram a mudar de rumo, graças a Deus. A idolatria foi abolida, o Templo reconstruído, nosso Deus voltou a ser buscado com exclusividade. Nesse meio tempo, Hilquias, o sacerdote, achou o Livro da Lei e o entregou para que fosse lido ao rei pelo escrivão Safã.

— Mas onde o Livro esteve esse tempo todo?

— Perdido dentro da própria Casa de Deus. Quando Deus deixou de ser buscado, o Templo deixou de ser o lugar onde Sua Palavra era encontrada. A Palavra ficou esquecida, como se nem pertencesse àquele lugar. Quando o Senhor voltou a ser a razão e o centro, quando Ele voltou a ser o Deus da Casa, Sua Palavra voltou ao lugar.

— E qual foi a reação do rei quando o Livro foi lido?

— Eu mesma não estava lá, mas, pelo que sei do Livro, a reação dele não teria sido outra: humilhação. O que está escrito ali desvela nossa alma, nos mostra como somos e nos revela quem Deus é. É a hora em que vemos o quão nada somos e o quão tudo Ele é. O choque é grande. É de rasgar as vestes e o coração.

— E como o rei se recompôs depois dessa?

— Não sei se alguém é capaz de se recompor depois desse encontro. Ninguém volta a ser o que era antes. E é justamente porque o rei não se recompôs que ele fez o que fez. Ele enviou o sacerdote, o escrivão e mais três homens à minha procura. O temor era tanto, que eles não sabiam o que fazer.

— Hulda, sabemos que você é profetisa, que recebe direcionamentos e visões do Senhor, é segura e sábia no que fala e no que orienta à nação. Mas, cá entre nós, o que você sentiu nesse momento?

— Senti completude. Há anos eu orava por isso, e sofria por nosso povo tão distante do que foi feito para ser. Porém, quando aqueles homens chegaram em nome do rei, eu sabia que o verdadeiro Rei os havia mandado. O Rei das nações olhou para nossa terra. Ele olhou para mim, mesmo tão pequena, e respondeu minha oração. Eu não podia estar mais completa.

— E qual foi sua resposta àqueles homens? Eles te levaram à presença do rei?

— Sei que o rei Josias vai concordar comigo: eu já estava na presença do Rei que importa. Enviei a mensagem pelos homens da comitiva, para que eles transmitissem o que Deus havia dito.

— E Ele disse que...

— Nosso Deus é justo. O que plantarmos, colheremos. Nossa nação plantou corrupção, injustiça, idolatria, imoralidade, iniquidade e discórdia. Infelizmente, esses frutos chegarão. Porém, visto que o rei Josias tem se humilhado perante o Senhor, buscando o verdadeiro Rei e a Sua vontade, nos será permitido viver o fruto desse relacionamento. O mal não chegará a Judá enquanto o rei Josias viver.

— O que isso quer dizer?

— Que devemos seguir seu exemplo, vivendo em humildade perante o Senhor e em integridade nos nossos caminhos, reconstruindo a Casa do Senhor centrada na Sua Palavra e Sua vontade, convertendo nosso coração ao Seu coração.

– Hulda, muito obrigado pela sua entrevista, mas precisamos cortar para uma transmissão ao vivo do Templo. Me parece que sua profecia ao rei o encorajou a compartilhar com toda a nação o que ele viveu ao ler o Livro. A vocês, compatriotas que estão nos assistindo, continuem ligados. Parece que muita coisa ainda vai acontecer na Casa do Senhor e em toda Judá.

HULDA *é uma profetisa que é registrada em 2Reis 22 e 2Crônicas 34. Seu nome pode significar diferentes coisas, como "mundo", "tempo de vida", "doce" e "dama".*

As que choram

por **Raquel Otoni de Araujo Costa**

"Ouvi, pois, vós, mulheres, a palavra do Senhor, e os vossos ouvidos recebam a palavra da sua boca; ensinai o pranto a vossas filhas; e, cada uma à sua companheira, a lamentação." (Jeremias 9:20-21)

CONHEÇO MÃES QUE ensinaram suas filhas a serem boas donas de casa. Outras as ensinaram a serem empreendedoras. Umas ensinam a dirigir, outras a falar um novo idioma, outras a serem econômicas nas compras do mercado. Conheço as que ensinam a enfrentar a vida com força e coragem, e conheço as que ensinam a viver com leveza e delicadeza.

Já eu, ensino a chorar.

Essa é minha herança para minhas filhas, e para que elas repassem para suas filhas.

Que minhas filhas chorem.

Só chora quem reconhece a realidade. Quem olha para o mundo aí fora e vê as mazelas da humanidade. *"A morte subiu pelas nossas janelas e entrou em nossos palácios; exterminou das ruas as crianças e os jovens, das praças."*[1]

Filhas, não se ceguem. Filhas, vejam o estado decaído da nossa casa e do nosso mundo, e chorem. Vejam nossas emoções, nossos relacionamentos, nossas decisões. Nosso interior e exterior duelam como adversários cruéis. Toda a criação geme e sofre. Guerras e rumores de guerra. Pais contra filhos. Filhos contra pais. Irmãos contra irmãos.

---

[1] Jeremias 9:20-21

AS PRANTEADORAS DO LIVRO DE JEREMIAS

Filhas, chorem, porque não fomos feitas para essa realidade. Somos feitas à imagem do Eterno. Feitas para a plenitude, para a abundância. Ver nossa distância do Éden deve nos levar às lágrimas. Chore pelo mundo, chore por você. O mesmo mal que contaminou as pessoas está em você. Enquanto não choramos, a morte nos domina.

Veja sua realidade, veja seus pensamentos e desejos tão longe de Deus e chore. Se humilhe. Não chore lágrimas vazias. Encha cada gota com um coração que se quebranta. Sinta o peso de cada lágrima. Permita-se sofrer a dor do que somos.

Mas aprenda, minha filha: esse choro que te ensino não nos leva ao desespero. Sofra pelo que vivemos, mas saiba que o sofrimento não é o fim. Chore sabendo que há Um que enxuga toda lágrima. Ele recolhe cada lágrima. Ele recolhe cada pedaço do coração quebrantado.

Filhas, chorem, porque há esperança. Toda morte que nos rodeia não acaba com nossa vida. Choramos pelo hoje, mas o amanhã virá. Permita-se a dor, mas também se permita ser curada. Permita-se ser quebrada e quebrantada, mas também se permita ser refeita. Entregue-se, sem medos e sem reservas. Nosso Deus não nos exige completude, é Ele quem nos completa.

Filhas, sejam fortes, corajosas, leves, delicadas. Mas chorem. Deem espaço às lágrimas. Que a dor não lhes seja como inimiga. Que o sofrimento não lhes seja estranho.

Nosso bom Jesus chorou, nos mostrando o caminho. Bem-aventuradas as que choram, pois serão consoladas. Bem-aventuradas as que choram, pois conhecerão o Consolador.

SOMOS FILHOS DA diáspora.
Esta terra não é o lar dos nossos antepassados, mas fomos acolhidos; telhados sob nossas cabeças e pães em nossas mesas.

Ó Misericordioso, poupe-nos mais uma vez!
Corpos e almas e vozes exaltando O Único. Estamos de joelhos.
Aos pés daquele que é digno, os exilados se encolhem temerosos; a espada de nossos inimigos é pesada e obscurece o caminho dos santos.

Que sejam justas, Senhor, as lágrimas de dor.
Não se ire em nosso sofrimento,
mas aqueça nosso coração diante do escarnecedor.

Ao meu marido, o grande rei, mostre Sua Glória.
Sou mulher, judia, percorrendo corredores conspiratórios.
Que Sua luz abra os olhos do meu amado, e que a morte não se espreite sobre mim.

Defenda-nos, defenda o seu povo.
Guia-me em meu desespero, meus passos trêmulos e mente dolorida, seja abrigo enquanto permaneço em batalha.

E, quando a aurora brilhar sobre nossas cabeças, diga, Senhor, aos seus filhos, aos filhos de seus filhos, que somos livres.

ESTER *significa "estrela" ou "aquela que brilha". Tornou-se rainha da Pérsia e usou sua posição e influência para salvar seu povo, os judeus, de um massacre. Ela tem um livro na Bíblia com seu nome.*

As Autoras

ANA ELISA STAUT belo-horizontina, artista e escritora. Membro da Igreja Esperança em BH, pretende continuar estudos em comunicação, filosofia e vida cristã; servir na comunidade local e no Reino. Jane Austen, Fiodor Dostoiévski e C. S. Lewis são seus autores favoritos. Acredita que as melhores histórias estão escondidas em páginas amareladas, sorrisos e lágrimas.

Ana Elisa escreveu sobre Eva, Asenate, Zípora, Bate-Seba e Ester.

 @ana.staut
 ana.elisa.fortes@gmail.com

ANDREIA COUTINHO LOUBACK, 29, é jornalista, comunicadora e mulher negra. De todas as possíveis biografias, a comunicação de causas é sua palavra-chave, ainda que – por muitas vezes – ela se apegue à solicitude para compreender o que a alma está dizendo. É mestre em Relações Étnico-raciais, onde se especializou na temática de gênero, raça e mídia. Atualmente, coordena a comunicação do Instituto Clima e Sociedade, que atua no campo de soluções contra as mudanças climáticas. Entre suas principais pautas de interesse e atuação destacam-se o cristianismo, a vulnerabilidades,

– AS AUTORAS –

a participação feminina e a negritude. Ela ama viajar e já "mochilou" por mais de 10 países. É uma romântica criativa, que adora uma DR, jantar risoto de camarão à luz de velas e fazer surpresas artesanais para o Lucas, seu melhor amigo, namorado, pastor e marido.

Andreia escreveu sobre a mãe de Sansão, a rainha de Sabá e a viúva de Sarepta.

✉ *andreiacoutinho21@yahoo.com.br*

DÉBORA OTONI, 33, a organizadora deste livro é mineira, mãe de Joaquim e Isabel e Cecília, do lar e escritora nas horas vagas. É casada com Marcos Almeida e, desde 2018, mora em São Paulo, e está focada em tocar projetos com a família e amigos que envolvam a escrita e a arte. Adora surpreender as pessoas e inspirar gente! Mas também gosta de comer, conversar e a casa cheia de gente.

Débora é a curadora deste projeto e escreveu sobre Sara, Diná, Tamar (nora de Judá), Sifrá e Puá, Mical, a mulher sábia da cidade, Gômer, e Atalia e Jeoseba – este último foi um trabalho feito a quatro mãos com sua irmã Raquel.

⊙ *@debora.otoni*
✉ *debora.otoni@gmail.com*

ELISA CERQUEIRA, 35 anos, é carioca, poeta e professora. Nos últimos anos viveu na Tailândia trabalhando com Justiça Social, e agora, em Sydney, na Austrália, está a caminho de seu segundo ano no bacharelado em Teologia. Ela acredita que uma boa teologia pode trazer transformação integral para o ser humano e a sociedade. No tempo livre entre estudo, aventuras e pagar as contas, criou uma companhia focada em

– AS AUTORAS –

educação escolar para crianças imigrantes sem direito a ensino na Tailândia. Nos últimos 10 anos morou em seis continentes diferentes.

Elisa escreveu sobre a esposa de Noé, a mulher de Ló, Lia, Dalila e Penina.

@ *@my.euphoria*
✉ *lisacerqueiras@gmail.com*

FABIANE BEHLING LUCKOW, 39, ama refletir e conversar sobre as coisas da vida. Livros, música, artes e criatividade em geral fazem parte do seu dia-a-dia. Autismo e inclusão são tópicos constantes, pois, seu "pequeno" Victor Hugo é um artista autista. Permeando tudo isso está sua fé e seu amor por Jesus Cristo, Aquele que torna tudo possível. Formada em Artes Visuais (Gravura) e em Música (Canto), na Universidade Federal de Pelotas, com Mestrado em Música (Etnomusicologia), pelo PPG-Música da Universidade Federal do Rio Grande do Sul, trabalhou por um bom tempo com regência coral. Tem formação técnica em design gráfico, área na qual se arrisca eventualmente. Por conta disso, chegou a cursar um ano de Design de Moda, como *hobby*. Para completar esse quadro, é casada com um arquiteto. Atualmente, curso o doutorado em Teologia, na área de Teologia Prática, nas Faculdades EST (São Leopoldo/RS). Equilibrar esse monte de pratos não é fácil, e ela sonha com o dia em que a Marie Kondo irá em sua casa!

– AS AUTORAS –

Fabiane escreveu sobre Hagar e Jezabel.

⊙ *@fabianeluckow*
✉ *fabianebl@gmail.com*

GABRIELA SAADI, 31 anos, é artista, esposa do Thiago e mãe do Gabriel e do Bernardo. Nasceu em Vitória/ES, e vive no eixo VIX-SP por conta da sua profissão. Formada em Artes Cênicas, Gabi desenvolve seu ofício como atriz, preparadora de elenco, diretora e professora de teatro. Em 2015 oficializou seu projeto idealizado, o CULT Espaço Cultural, onde fomenta cultura e arte na vida de pessoas de perto e de longe, por acreditar que arte transforma, e em 2019 realizou seu sonho de menina aos 30 anos, quando foi aprovada para fazer parte do elenco de uma novela do SBT. Determinada, nunca desistiu de um sonho por causa das circunstâncias adversas. Segue caminhando em rumo a outras conquistas e de mãos dadas com Ele.

Gabriela escreveu sobre Abigail.

⊙ *@gabisaadi*
✉ *gabisaadi.g@gmail.com*

IZABELLA VICENTE, 24 anos, mora em Macaé/RJ, formada em Direito pela UFF, é casada com Bernardo, participa de grupos de estudos sobre feminilidade e fé cristã e busca servir a sociedade com engajamento cívico e político. Fala muito de política na internet, dá pitacos e opiniões que ninguém pediu.

Izabella escreveu sobre Débora e Jael.

⊙ *@izabellavicente*
✉ *vicentizabella@gmail.com*

– AS AUTORAS –

LEANE BARROS, 36 anos. Nascida e criada em Vitória/ES, é dona do cão viking vira-lata Ragnar. Estudou Artes Plásticas e é formada em Fotografia. Curte filmes que a deixam pensando por pelo menos três dias. Formada em medicina por Grey's Anatomy. Quando criança, matava aula na redação da Rede Gazeta, onde o pai era jornalista, e, por isso, desconfia que o gosto pela escrita venha daí. Seus autores preferidos são Timothy Keller, Donald Miller, Elizabeth Gilbert, Mario Quintana e Fernando Sabino. Liderou o time Servos, que é Ministério de Acolhimento e Hospitalidade, além do grupo de relacionamento da Igreja Anglicana Âncora, da qual é membro. É voluntária da Avalanche Missões Urbanas desde sua fundação e já atuou como coordenadora da Escola de Artes por anos. É professora e compartilha devocional por lá sempre que pode. Conhece alguns países e sonha em virar o ano em todos para saber como é. O que mais curte é ouvir boa música brasileira, hospedar, fazer a mesa para receber os amigos e conversar sobre a fé e a vida.

Leane escreveu sobre Zeruia, Miriã, Noemi, Orfa, Ana e a Sunamita.

@leane.abarros
leane.abarros@gmail.com

LUIZA NAZARETH tem 29 anos, é casada com Paulo e mãe do Gabriel e do João. Dona de uma mente inquieta, compra mais

– AS AUTORAS –

livros do que consegue ler e bebe mais café do que deveria. Desde que virou mãe, redescobriu sua paixão por escrever e passou a compartilhar seus devaneios e aprendizados pela internet afora. Seu coração bate forte por compartilhar o que tem aprendido do caminho de Jesus para que outros possam segui-lo com leveza e coragem.

Luiza escreveu sobre Rute.
@luiza.nazareth

NATÁLIA LAGO, 33, é cantora lírica formada em Música pela Universidade Federal de Minas Gerais (UFMG) com estudos na Royal Northern College of Music (RNCM) em Manchester, UK. Atua no mercado financeiro (BOVESPA) e desenvolve projetos literários nas categorias romance e roteirização. É belo-horizontina e torcedora do Atlético Mineiro, mas vive em São Paulo capital com seu marido Davi e sua filha Maria. Entusiasta de Jane Austen e novelas mexicanas.

Natália escreveu sobre Joquebede.

@natalialagoassuncao
nataliadassuncao@gmail.com

RAQUEL OTONI DE ARAUJO COSTA, 30 anos, mineira de nascimento e capixaba de criação, casada, graduada em Psicologia e mestre em Sociologia Política, coordena voluntários e ministérios na igreja Missão. Aprendeu a ler com 4 anos e nunca mais parou, principalmente C. S.

— AS AUTORAS —

Lewis, biografias de missionários e livros infantis. Não sabe andar de bicicleta.

Raquel escreveu sobre Rebeca, Raquel, as duas mulheres que brigam pelo filho perante Salomão, as mulheres que repartiram os despojos, a mulher virtuosa, a escrava de Naamã, Atalia e Jeoseba, Hulda e sobre as pranteadoras apresentadas no livro do profeta Jeremias.

@raquelaraujo
raquel@missaoemfamilia.com

YULE MATOS 33 anos, de Fortaleza, é casada com Ricardo e mãe de dois filhos, Zach e Ivy. Formada em Arquitetura e Urbanismo pela UNIFOR, possui escritório próprio e trabalha na área da construção e ambientação desde 2010. Com o pai cantor e compositor, herdou seu talento e começou a cantar na igreja ainda criança. Possui diversas músicas autorais com um álbum gravado (*Por Algo Maior Que Eu*, 2017). Estudante de Teologia, pretende dedicar os próximos anos à vida ministerial e aos projetos. Adora gente em casa, mas confessa que tem preguiça de cerimônias. Por isso, dispensa qualquer formalidade com visitas e libera todo mundo para pegar as coisas na cozinha. É tímida, por isso, um dos seus hobbies favoritos é ficar sozinha em casa com o som do seu violão.

Yule escreveu sobre Raabe e Tamar, filha de Davi.

@yule.rick
yule_matos@yahoo.com.br

Este livro foi impresso pela Vozes, em 2022, para a Thomas Nelson Brasil. A fonte do miolo é Archer Pro. O papel do miolo é avena 80g/m², e o da capa é cartão 250g/m².